W9-BTD-515

# Sólo me río cuando me duele

# Sólo me río cuando me duele

## La cultura del humor en México

EL FISGÓN

Diseño de portada: Miguel Ángel Chávez Villalpando / Alma Julieta Núñez Cruz
Ilustración de portada: Rafael Barajas "El Fisgón"


Avenida Presidente Masarik núm. 111, 2o. piso
Colonia Chapultepec Morales
C.P. 11570 México, D.F.
www.editorialplaneta.com.mx

Primera edición: mayo de 2009
ISBN: 978-607-7-00073-0



Impreso en los talleres de Litográfica Ingramex, S.A. de C.V.
Centeno núm. 162, colonia Granjas Esmeralda, México, D.F.
Impreso y hecho en México - *Printed and made in Mexico*

*A Rocío, Alejandra y Adriana*
*A Manuel Rodríguez Rábago*

*Agradecimientos*
Quiero agradecer al doctor Manuel Hernández
a Pedro Miguel,
a Alejandro Mendoza,
a Renato González Mello,
por sus comentarios y correcciones a este texto.

# Algunas generalidades necesarias sobre el humor

*Tratar de definir el humor es una*
*de las definiciones del humor.*
Saúl Steinberg

## ¿Qué sentido tiene el humor?

Cuentan que en una ocasión Carlos Pellicer fue invitado a una cena lujosa y abundante. El poeta era glotón y comió mucho más de lo que su cuerpo podía aguantar; se indigestó tanto que se puso mal y tuvieron que llamar una ambulancia; mientras los enfermeros subían al paciente a la camilla, él susurraba, desesperado, unas palabras ininteligibles. Uno de los camilleros se acercó para escuchar lo que bien podían ser las últimas palabras del Poeta de América y pudo descifrar que decía: "No me lleven... No me lleven... me falta el postre... me falta el postre...".[1]

El Negrito Poeta fue un versificador popular que vivió en la Ciudad de México en la era colonial; se ganaba la vida improvisando cuartetas y décimas a cambio de unas monedas. La historia dice que, en su lecho de muerte, al cura agustino que lo fue a auxiliar en su hora fatal, el Negrito le recitó:

> Yo ya soy cadáver yerto
> Y la muerte viene al trote,
> Yo soy tu caballo muerto
> Y tú eres mi zopilote.[2]

Gustavo Díaz Ordaz fue uno de los presidentes más odiados del siglo xx mexicano y, muy probablemente, el más feo de nuestra historia. Era tan poco agraciado que —según él mismo aceptaba— daba miedo. Su físico le atrajo todo tipo de apodos, insultos, humillaciones y maledicencias. En alguna ocasión, un rival lo acusó de hipócrita, afirmando que Díaz Ordaz era un hombre de dos caras; para defenderse de la acusación, el político respondió: "¿Ustedes creen que si yo tuviera dos caras saldría a la calle con ésta?" (esta anécdota es tan conocida que fue citada incluso por el presidente de EU, Lyndon B. Johnson, en un discurso que realizó con motivo de una visita oficial a México en 1967).

Según el *Diccionario de la Real Academia Española*, *humor* es cualesquiera de los líquidos del cuerpo animal; también significa genio, índole, condición, jovialidad, agudeza y estado de ánimo. De acuerdo con María Moliner, utilizamos la frase sentido del humor para designar "la capacidad de usarlo (el humor, la jovialidad), o para percibirlo, o para admitir bromas". En el lenguaje coloquial, los términos humor y humorismo se utilizan indistintamente como sinónimos. Para la Real Academia, el *humorismo* es una "manera de enjuiciar, afrontar o comentar las cosas con cierto distanciamiento ingenioso, burlón, aunque en apariencia, ligero".

Para lograr este distanciamiento ante su realidad —que a veces es dramática—, el humorista hace un esfuerzo intelectual por analizarse a sí mismo y su situación con objetividad. En este ejercicio suele descubrir las contradicciones, las paradojas, los errores de lógica y los absurdos implícitos en su condición; esto le permite al sujeto encontrarle el lado cómico a las cosas más terribles y lo libera de sus penas, así sea por un instante. El humor implica tomar cierta distancia de los propios afectos; el humorista llega incluso a despojarse de ellos por método. En la primera página de su novela *Gargantúa,* Rabelais previene al lector:

Amigos lectores, que este libro leéis,
Despojaos de todo afecto
Y, al leerlo no os escandalicéis:
No contiene mal ni infección.
Verdad es que aquí hay poca perfección,
Ya lo veréis, si no en la cosa de la risa.[3]

El poeta medieval francés, François Villon, llevó una vida licenciosa, fue encarcelado varias veces y, finalmente, sentenciado a la horca por delitos graves. Unos días antes de que se ejecutara su sentencia, escribió la conmovedora *Balada de los ahorcados* (*Ballade des pendus*), en la que describe con detalle y horror la suerte de los que han sido condenados a morir colgados; sin embargo, el mismo poeta logra en un momento dado tomar distancia de su desgracia y escribe:

> Yo soy François, cuánto me pesa,
> Nací en París, de Pontoise cerca,
> Quien, de dos varas de una cuerda,
> Sabrá mi cuello que mi culo pesa.[4]

Sigmund Freud, el fundador del psicoanálisis, refiere la historia de un reo que, mientras es conducido a la horca un lunes en la madrugada, exclama: "¡Linda manera de empezar la semana!"[5]

El dolor, la muerte y la humillación son experiencias duras y solemos reaccionar ante ellas con sufrimiento, angustia, desesperación y rabia. Sin embargo, hay individuos que, aun ante el cadalso, tienen la capacidad de ver su tragedia con cierto desprendimiento, con cierta distancia afectiva, y logran burlarse de su situación y de ellos mismos. El Negrito Poeta, Villon y el reo citado por Freud saben que su muerte es irremediable; Pellicer siente dolor y Díaz Ordaz está consciente de su fealdad, pero gracias al humor todos ellos toman distancia de su drama y logran que prevalezca, así sea momentáneamente, el principio del placer. El humorista se esfuerza por verse con absoluta objetividad y esto le permite salirse de sí mismo, ser otro e incluso experimentar afectos diferentes a los que lo agobian. Al despojarse de sus afectos negativos, el individuo siente un gran alivio. Winston Churchill, político inglés, decía que "la imaginación consuela a las personas de lo que no pueden ser. El humor las consuela de lo que son".

Practicar el humorismo es agradable y saludable, y tomar las cosas con sentido del humor alivia nuestras penas. Reírnos de nuestras tragedias, enfrentar la vida con humor, es una actitud esencialmente vital; es una decisión personal que nos permite soportar (hasta cierto punto, claro está) la violencia y la crueldad del mundo. Nadie hace tantos chistes sobre la ceguera como los invidentes y en un pabellón de enfermos terminales se escuchan los chistes más feroces sobre amputaciones, agonías y maltratos médicos. Los médicos saben que los pacientes que tienen fe, los enamorados y los que ríen tienen mejor pronóstico que los demás.

En un conocido poema, Rubén Darío afirma: "¡Bendigamos la risa, porque ella libra al mundo de la noche".[6] Octavio Paz agrega: "Reír es una manera de nacer (la otra, la nuestra, es llorar)".[7]

Tomar las cosas con sentido del humor y practicar el humorismo, reír y hacer reír, es triunfar, al menos por un instante, sobre situaciones insoportables e intolerables como el dolor, la crueldad, la violencia, la vergüenza, la pena, la desesperación, la locura, el absurdo, la angustia, el terror y la muerte. Prueba de ello es que prácticamente todos los chistes —esos brevísimos cuentos cortos que buscan hacernos reír— tienen como tema situaciones dolorosas, crueles, violentas, vergonzosas, penosas, angustiantes, desesperantes, locas, enloquecedoras, absurdas, aterradoras y mortíferas. El humor es una bendición; nos permite renacer porque hace más soportables y tolerables las peores situaciones de la vida.

## Humor y melancolía

El humor es tan importante en nuestras vidas que desde los tiempos de Aristóteles muchos sabios, filósofos, artistas y hombres de talento han reflexionado sobre él. Se antoja imposible que pensadores distantes en el tiempo y con escuelas encontradas lleguen a conclusiones similares cuando estudian un fenómeno tan complejo como el humor, y sin embargo muchos hombres de genio coinciden en asociar el humor con la tristeza, la melancolía y los mecanismos más irracionales de nuestra mente (ver recuadro).

El humor tiene ramificaciones corporales y mentales tan profundas que los antiguos griegos asociaban la risa y la melancolía a los fluidos o humores del cuerpo humano. A Hipócrates, padre de la medicina, se le atribuye un diagnóstico que asocia la risa estrepitosa y la punzante ironía del filósofo Demócrito a la locura y la melancolía, es decir, a la *bilis negra*.[8] El propio Demócrito explica que su risa y su profunda tristeza tienen el mismo origen. A Aristóteles se le atribuye un texto clásico que relaciona la melancolía y la locura de Heráclito con la facultad poética y el ingenio humorístico.[9]

El tema de la melancolía es clásico en Occidente y ha sido tratado por diversos escritores mexicanos desde el siglo XIX. En su libro *La jaula de la melancolía,* Roger Bartra señala que muchos "intelectuales mexicanos han escogido la melancolía para dibujar el perfil de la cultura nacional"[10] y profundiza sobre dos de las vertientes de la historia de la melancolía en México: la que lleva a la tragedia y al martirologio, y la que conduce al drama del genio o del héroe que debe cargar con la melancolía para entender al mundo. Sin embargo, no todo en la historia de la melancolía mexicana es tristeza pura. En México, como en muchos otros países, la historia de la melancolía está también ligada a la historia del humor. Algunos poetas y ensayistas nacionales que han tocado el tema también vinculan la melancolía con el humor. En el siglo XIX, el poeta Juan de Dios Peza, en un tono romántico tardío, escribe:

¡Ay! ¡Cuántas veces al reír se llora!
¡Nadie en lo alegre de la risa fíe,
porque en los seres que el dolor devora
el alma llora cuando el rostro ríe![11]

A mediados del siglo XX, en su *Fenomenología del relajo,* Jorge Portilla señala que "el humorista es un hombre permanentemente orientado en el sentido de lo que podríamos llamar la miseria del hombre".[12]

## Filosofía del humor

**Demócrito**: "Río por un solo motivo: el hombre lleno de desatino".

**Michel de Montaigne**: "Demócrito y Heráclito fueron dos filósofos, pero mientras el primero, al encontrar vana y ridícula la condición humana, aparecía en público con el semblante siempre risueño y burlón, el segundo, que sentía piedad y compasión por esa misma condición, siempre tenía el semblante triste y los ojos llenos de lágrimas.

**Charles Baudelaire**: "La risa y las lágrimas no pueden dejarse ver en el paraíso de las delicias. Son por igual hijas de la pena y han llegado porque el cuerpo del hombre enervado carecía de fuerzas para reprimirlas".

**Soren Kierkegaard**: "El humor encubre siempre un dolor oculto".

**Boris Vian** "El humor es la urbanidad de la desesperación".

**John Lennon**: "La gente que más sufre es la que tiene mejor sentido del humor".

**Joseph Klatzmann**: "Reír para no llorar".

**Erasmo de Rotterdam**: "Hay una [demencia] que desencadenan las Furias de los infiernos, cada vez que lanzan sus serpientes y siembran en el corazón de los mortales el ardor de la guerra, la sed inextinguible del oro, el amor deshonroso y culpable, el parricidio, el incesto, el sacrilegio [...]. La otra demencia en nada se asemeja a ésta; emana de mí y es la cosa más deseable. Nace cada vez que una dulce ilusión libera el alma de sus penosas preocupaciones y la entrega a diversas formas de voluptuosidad".

**Friedrich Nietzsche**: "El hombre sufre tan terriblemente en el mundo que se ha visto obligado a inventar la risa".

**René Descartes**: "Hasta una falsa alegría suele ser preferible a una verdadera tristeza".

**Anatole France**: "Es posible que me hubiera aniquilado la tristeza, si no me reanimase la facilidad que tengo para descubrir la parte cómica de las cosas".

**André Comte-Sponville**: "El humor es una desilusión alegre. Por eso es doblemente virtuoso".

**Sigmund Freud**: "La esencia del humor consiste en que uno se ahorra los afectos negativos tales como dolor, susto, terror, quizá aun desesperación".

**Groucho Marx**: "Si los cómicos no existieran, veríamos suicidios masivos en números comparables a la tasa de mortandad de los lemmings".

---

A lo largo de estas páginas el lector encontrará otras citas que también vinculan la melancolía con el humor.

## El humor, ese gran analgésico

Los contemporáneos de Hipócrates creían que la risa y la melancolía eran fenómenos a la vez fisiológicos y psicológicos. En la era cristiana, durante siglos se consideró que la risa y la melancolía eran, estrictamente, un fenómeno fisiológico superior, un problema de fluidos y humores, un derivado físico del entendimiento, de la razón, una suerte de fenómeno psicosomático.

A lo largo de casi toda la Edad Media, el discurso de la iglesia católica consideró que la risa era algo indecoroso, obsceno, indecente, inadecuado, un catalizador del desorden.[13] Immanuel Kant, autor de la *Crítica de la razón pura*, plantea que la risa es "una emoción que nace del súbito aniquilamiento de una espera intensa"[14] y que se deriva de acciones meramente fisiológicas tales como "la tensión y relajamiento alternativo de las partes elásticas de los intestinos", aunque no deja de advertir que en la risa existe una fuerte interacción entre el cuerpo y el espíritu.

Sigmund Freud estudia los impulsos nerviosos de la mente humana, devela el inconsciente y concluye que el hombre *no* está en total control de las pulsiones de su psique. En la lógica freudiana, la risa es cosa de la mente humana por lo que está en contacto con los mecanismos del inconsciente, es decir, con ese componente aparentemente irracional de la mente humana. En un notable ensayo sobre el humor, Freud esboza una teoría psicoanalítica sobre el origen del humor en la que afirma que

> La esencia del humor consiste en que uno se ahorra los afectos [provocados por "una situación generalmente dolorosa"], eludiendo mediante un chiste la posibilidad de semejante despliegue emocional [...] No sólo tiene [el humor] algo liberante, como el chiste y lo cómico, sino también algo grandioso y exaltante, rasgos que se encuentran en las otras dos formas de obtener placer mediante la actividad intelectual. Lo grandioso reside, a todas luces, en el triunfo del narcisismo, en la victoriosa confirmación de la invulnerabilidad del *yo* [que] se empecina en que

> no pueden afectarlo los traumas del mundo exterior; más aún: demuestra que sólo le representan motivos de placer [...] El humor no es resignado, sino rebelde; no sólo significa el triunfo del yo, sino también del principio del placer, que en el humor logra triunfar sobre la adversidad y las circunstancias reales [...] al rechazar la posibilidad del sufrimiento, el humor ocupa una plaza en la larga serie de los métodos que el aparato psíquico humano ha desarrollado para rehuir la opresión del sufrimiento; serie que comienza con la neurosis, culmina en la locura y comprende la embriaguez, el ensimismamiento y el éxtasis.[15]

La tesis de Freud marca un hito en la historia de la teoría del humor pues resuelve el viejo conflicto entre melancolía, humor y salud mental. Para el padre del psicoanálisis, *el superyó* (nuestra idea del deber ser) consuela al *yo* a través del humor; por lo tanto, el humor es un mecanismo que ofrece grandes ventajas sobre la neurosis, la locura, la embriaguez, el ensimismamiento y el éxtasis, pues nos permite "rechazar el sufrimiento, afirmar la insuperabilidad del yo por el mundo real, sustentar triunfalmente el principio del placer [...] sin abandonar [...] el terreno de la salud psíquica".[16]

Según Freud, la fuerza del humor es enorme. Con humor, el hombre puede enfrentar sus miedos más ocultos, los que suelen estar vinculados a las situaciones más dolorosas de su vida. Pero, sobre todo, a través del humor el hombre puede conseguir un cierto alivio, así sea mínimo y momentáneo, para sus penas psíquicas.

Estos postulados freudianos son la herramienta más útil que tenemos, hasta ahora, para estudiar las lógicas del humor y del humorismo.

## El humor, entre el inconsciente y lo consciente

Las lógicas del humor están entrelazadas a las del inconsciente. En su ensayo sobre *El chiste y su relación con el inconsciente,* Freud plantea que la técnica del chiste (y, podríamos agregar, del humorista) está basada en mecanismos tales como la condensación, la fusión, el empleo múltiple de un mismo material, el doble sentido, los retruécanos, el desplazamiento, la desviación, el contrasentido, la simpleza, el automatismo psíquico, las trampas de la lógica, la unificación, la representación antinómica, la representación por lo conexo, la metáfora; estos mecanismos son los mismos que encontramos en otros procesos de libre asociación como los sueños, los *lapsus* verbales, los errores intelectuales y demás procesos freudianos.

Sin embargo, aun si los mecanismos del humor vienen del inconsciente, la conciencia se los apropia. En el humor, la lógica consciente corre paralela a la del inconsciente. Tal vez por eso prácticamente todas las piezas humorísticas, especialmente los chistes, están construidas como sistemas de lógicas paralelas donde una serie de elementos apuntan a un fin previsible pero, de repente y con los mismos elementos, se llega a un resultado inesperado, gracias a una lógica que no habíamos visto y que se revela de golpe.

> Un charro bebe en una cantina, cuando entra un tipo gritando:
> —¡Juan!, ¡Juan!, ¡tu mujer te engaña!
> El charro escupe su tequila, se ajusta la pistola, se trepa en una bicicleta, pedalea unos metros y se cae. Cuando se levanta, exclama, como para sí:
> —Si seré pendejo. Ni me llamo Juan, ni estoy casado, ni sé andar en bicicleta.[17]

La tradición afirma que los chistes, mientras más breves, mejor. Sin embargo, esta afirmación sólo significa que los chistes suelen usar menos palabras que las necesarias para contar una historia, crear una situación o plantear un problema. El chiste es un género de síntesis, y más que agotar una historia debe sugerirla, de modo que, mientras más ideas latentes revele el contenido manifiesto del chiste, mejor.

Según un anónimo popular, una niña de cinco años le pregunta a su padre: "¡Papi!, ¿puedo tener un bebé?", a lo que el papá, comprensivo, paternal, responde: "No, mi amor, estás muy pequeña". La niña se seca el sudor de la frente y dice: "Uf, de la que me salvé".

Con mucha frecuencia la conciencia se alivia y divierte cuando, a través del humor, se hacen evidentes las motivaciones inconscientes del individuo, cuando quedan al descubierto sus impulsos y sus miedos reprimidos. El hombre puede incluso aprender a usar y ejercitar, de modo consciente, los mecanismos humorísticos de libre asociación que están ligados al inconsciente.

## El humor es la lanza y el escudo

La mejor defensa es el ataque. Al ser un mecanismo defensivo, el humor es también un arma ofensiva. Quien ríe de su tragedia se coloca a sí mismo en una situación de superioridad y esto le permite ver a su posible verdugo desde una posición estratégica; le da algunas ventajas. El ministro Winston Churchill y la aristócrata lady Aston se profesaban un odio mutuo; una conocida anécdota cuenta que, en una ocasión, la dama le espetó al político: "Si yo fuera su esposa, pondría veneno en su té", a lo que Churchill replicó: "Señora, si usted fuera mi esposa, me tomaría el té".

Al ejercer el sentido del humor, el hombre toma distancia de su conflicto, se da un respiro y se coloca en una posición que le permite buscar salidas, salvarse y hasta planear contraataques. Rubén Darío expresa esta tesis de manera poética cuando afirma que la risa "es la salvación, la lanza y el escudo".[18] El humor es el arma de la persona con ingenio que no se resigna a su suerte, aunque se encuentre acosada y desvalida. Tal vez por esto, desde los tiempos de Aristófanes ha sido un arma de los rebeldes, de los inconformes.

Todos los sectores y grupos políticos practican la sátira contra sus rivales, incluso para expresar sus prejuicios, pero ésta es más eficaz cuando se rebela contra una realidad agobiante, contra un poder injusto. En términos sociales, el humor es una eficaz herramienta de protesta y resulta tanto más eficaz cuando critica a una autoridad opresiva. Chaplin entendía este proceso y por eso una gran parte de sus chistes están dirigidos contra figuras de autoridad —policías, jueces o capataces, o personajes poderosos como millonarios o políticos—. La fuerza de los caricaturistas estadunidenses de la década de los setenta no se explica sin los actos delincuenciales del presidente Richard Nixon, y el éxito de los cortos del cineasta Michael Moore no se explica sin la torpeza y el cinismo de George W. Bush.

Pocas veces el papel social del humorista ha estado tan claro como en la Edad Media, cuando los bufones ejercían, mediante el humor, una de las pocas críticas toleradas contra el rey y sus cortesanos. Su influencia en las decisiones políticas resultaba, a veces, fundamental, hecho sorprendente, pues casi siempre se les consideraba lunáticos; pero en tanto que depositarios de la locura de la corte, eran los únicos que se atrevían a decirle sus verdades al rey. Un soberano brillante solía tener un bufón brillante y un soberano loco —como el rey Lear— solía tener un bufón desorbitado.

Extinguidas las cortes, los escritores y los dibujantes satíricos han tenido que asumir ante la sociedad el carácter conscientemente irracional del bufón. El humorista independiente de la prensa no trabaja para la corte, sino para sus lectores y su materia de trabajo es el medio político, los poderosos que, casi siempre, son hostiles a la crítica. Por esto la situación del humorista es siempre frágil.

Salvo honrosas excepciones, los medios de difusión son aparatos de propaganda de grupos de poder y, al igual que el bufón en la corte, el humorista se puede amoldar a esta situación pero no debe conceder ni ceder. Así, mientras los grupos dominantes buscan imponer una agenda, crear consensos, establecer ambientes que les sirvan a sus intereses (que con frecuencia se confunden con los del Estado) y asentar su verdad como la única, el humorista político debe, en principio, reventar esos discursos, denunciar la hipocresía, burlarse de la grandilocuencia y la falsa piedad, pitorrearse de la verdad oficial, decirle sus verdades al poderoso.

A un nivel social profundo, el humor sólo se justifica en cuanto sirve a una causa ética o humanitaria y, a nivel político, adquiere un sentido ético irrefutable cuando ataca a un poder irracional. Mientras más monstruosos y ridículos son los hombres del poder, más fácil es caricaturizarlos. Los dictadores lo saben y por eso buscan controlar la prensa. En todos los tiempos, los que ostentan el poder han buscado ejercer una censura feroz contra los humoristas en general (y los caricaturistas en particular). Muy pocas caricaturas críticas contra el hombre fuerte circularon bajo los territorios dominados por Hitler, Stalin, Ceaucescu, Díaz Ordaz, Pinochet, Idi Amín, Franco, Castro o Videla, pero los chistes eran inevitables.

La regla es clara: mientras más monstruoso es un gobierno, mientras más irracional sea un gobernante, mejores serán los chistes que se hagan a sus costillas. Un cuento popular refiere que el entonces presidente Bush habló con el ministro Blair sobre la solución a la guerra de Irak y le dijo: "Todo se resolverá en cuanto matemos a 600 millones de musulmanes y a un dentista"; un curioso que escucha la conversación pregunta extrañado: "¿Por qué un dentista?" Bush se voltea y le dice a Blair: "Te lo dije. Nadie iba a preguntar por los musulmanes".

## Humor es cultura

Descartes dijo que "con frecuencia una alegría improvisada vale más que una tristeza cuya causa es verdadera. Sepamos, pues, improvisar nuestra alegría".[19] Sin embargo, improvisar la alegría no es fácil. Manejar los mecanismos del humor para provocar la risa exige disciplina y rigor intelectual. Esto explica que en el mundo haya muy pocos humoristas, cómicos y escritores satíricos de primer nivel. El notable escritor chino del siglo XX, Lin Yutang sentenció: "Bromear es una de las cosas amenas de la vida, pero cuesta muchos años de aprendizaje".[20] Su contemporáneo, el escritor y maestro italiano de los aforismos, Dino Segre, alias *Pitigrilli,* afirmó que "hacer reír no es un arte, es una ciencia" y en otra ocasión agregó que "los humoristas escriben sus mejores cosas cuando ya no son jóvenes, cuando la ponderación sustituye al ímpetu".[21]

El humorismo es una disciplina; esto lo sabían perfectamente bien los cómicos del cine mudo que entrenaban sus caídas chuscas y grotescas con la misma tenacidad y disciplina que los malabaristas. Asimismo, los escritores satíricos repasan una y otra vez sobre el papel una frase, un dicho o un aforismo para que sorprenda y conserve la frescura de una ocurrencia.

Con disciplina, con método, el humorista busca lo cómico, lo ridículo, lo absurdo, lo contradictorio, lo paradójico, lo jocoso de los fenómenos de la vida, en especial de los que son molestos, exasperantes o dolorosos; el humorismo es una disciplina intelectual. Como ocurre con toda disciplina, se puede aprender y se tiene que ejercitar constantemente. Este ejercicio termina, indefectiblemente, por construir en el humorista una visión crítica de la gente y la sociedad. El humor es un ejercicio mental y espiritual que transforma a quien lo practica. Es una actividad lúdica, juguetona y, por lo tanto, creativa. Al ser un ejercicio intelectual complejo, el humor es cultura.

En su ensayo sobre *Lo cómico y la caricatura,* Charles Baudelaire escribe que "la risa y las lágrimas no pueden dejarse ver en el paraíso de las delicias. Son por igual hijas de la pena y han llegado porque el cuerpo del hombre enervado carecía de fuerzas para reprimirlas".[22] Para soportar los rigores de la vida cotidiana se necesita reír y llorar. Esto explica por qué los géneros literarios y artísticos que hacen reír y llorar son los más gustados en prácticamente todas las sociedades y culturas: en la medida en que liberan emociones, las piezas humorísticas y cómicas, las tragedias y los dramas son las vertientes más populares de la literatura occidental. La *Poética* de Aristóteles estaba dividida en dos libros: el primero (que ha llegado hasta nuestros días) versa sobre la tragedia y la epopeya, mientras que el segundo (que, al parecer, se perdió en la Edad Media) abordaba la comedia y la poesía yámbica.

Muchos de los textos fundacionales de la literatura occidental son textos humorísticos: las *Fábulas* de Esopo, las comedias de Aristófanes, *Don Quijote de la Mancha* de Cervantes, *Tyl*

*Ulenspiegel, Le roman de Renard, Gargantúa* de Rabelais, entre otras. Muchos de los escritores occidentales más importantes han sido humoristas (Miguel de Cervantes, Francisco de Quevedo, Rabelais, Voltaire, Jonathan Swift, Oscar Wilde, Bernard Shaw, Mark Twain, Pirandello, Goldoni), y muchos de los grandes autores dramáticos escribieron, al menos alguna vez, piezas satíricas (es el caso de Shakespeare y Víctor Hugo) o, al menos, pasajes célebres cargados de burla e ironía.

El pensador marxista León Trotski escribió que "la ruptura de la correlación entre lo subjetivo y lo objetivo es, en términos generales, la fuente esencial tanto de lo cómico como de lo trágico en la vida y en el arte",[23] y no le faltaba razón. Es innegable que los temas de las piezas humorísticas y las trágicas son, en esencia, los mismos: ante la locura y la alucinación, Shakespeare inventa a un *Macbeth*, personaje trágico por excelencia, mientras que Cervantes crea a *Don Quijote*; ante el drama de los niños abandonados y maltratados, Dickens escribe *Oliver Twist*, mientras que la picaresca española imagina el *Lazarillo de Tormes*. Ante la violencia de una autoridad arbitraria, Franz Kafka escribe *El proceso*, mientras que Chaplin filma *El dictador*.

Las fronteras entre la comedia y la tragedia son tan vagas que la actriz mexicana Jesusa Rodríguez realizó —hace ya algunos años— un ejercicio teatral muy logrado que consistía en montar la tragedia de Macbeth como farsa. En la película *Melinda y Melinda*, Woody Allen cuenta cómo un escritor dramático y un humorista abordan la misma historia para hacer, el primero una tragedia y el segundo una divertida comedia.

Enfocar un tema como una tragedia o como una comedia es una decisión personal y subjetiva del autor. Mientras el *Eclesiastés* sentencia que "mejor es el pesar que la risa, porque con la tristeza en el rostro se enmendará el corazón",[24] Rabelais escribe:

> Viendo el duelo que os mina y consume,
> Mejor es de reír que de lágrimas escribir:
> Porque la risa es lo propio del hombre.[25]

El humorista *decide* reír antes que llorar. El tomar las cosas con humor es asumir, conscientemente, un punto de vista. Esto implica una toma de posición o la decisión de ver las cosas a través de un lente específico. Tal vez esto explique que muchas de las formas humorísticas que conocemos se denominan por su coloración; como si se viera al mundo a través de un lente cromático hay cuentos verdes, historias rosas, chistes colorados, humor negro y humorismo blanco. Pero, además, esta variedad cromática está llena de matices como el sarcasmo, la ironía, la burla, el cotorreo, la sátira, el ingenio, la agudeza, el gracejo, la humorada, la picardía, la ocurrencia, el chascarrillo, la socarronería, la chuscada, el absurdo, el choteo y la falsa ingenuidad. Y por si esto fuera poco, existe una variedad de géneros humorísticos tales como la parodia, la sátira, la caricatura, el pastiche, la comedia, la picaresca, la farsa, el enredo, el sainete, la bufonada y la payasada.

El humor es importante en la cultura porque es importante en la vida cotidiana, porque con frecuencia nos alegra el día y nos da consuelo en momentos aciagos. Por eso, el chiste debe ser considerado una forma literaria, humorística y fugaz de gran valor cultural y social; los buenos chistes son tan exitosos que trascienden fronteras, borran prejuicios y rebasan los circuitos culturales; se difunden, viajan y son traducidos más rápidamente que cualquier cuento, novela película o programa de televisión. El médico y etólogo Konrad Lorenz dijo alguna vez que "el humor y la sabiduría son las grandes esperanzas de la cultura"[26], y el escritor Carlos Monsiváis complementó esta frase al afirmar, en una entrevista, que "los chistes son los valores supremos de la humanidad".

Diversos grupos sociales practican códigos humorísticos propios (los llamados "chistes privados" o "*private jokes*"); diferentes culturas han desarrollado formas específicas de humor: los ingleses el humor flemático, los franceses la ironía intelectual y la *raillerie*, y los checos el humor por el absurdo. En México se cultivan diversos géneros humorísticos (literarios, gráficos y periodísticos), y diariamente, los mexicanos de todos los niveles practican formas de humor específicas.

## La cultura del humor en México

La cultura mexicana del humor es rica, compleja y tiene una fuerte personalidad.

Diversos escritores y pensadores han escrito sobre este tema:

- André Breton y Jorge Portilla, entre otros, subrayan el gusto de los mexicanos por el humor negro.[27]
- Octavio Paz y muchos otros hablan de cómo los mexicanos se ríen de la muerte.[28]
- Samuel Ramos, Paz y Monsiváis reflexionan alrededor del humor machista y el humor antimachista.[29]
- Jorge Portilla escribe un notable ensayo filosófico sobre la *Fenomenología del relajo del mexicano*.[30]
- Agustín Yáñez y Roger Bartra y otros reflexionan sobre la picaresca mexicana.[31]
- Paz, Antonio Alatorre, Alí Chumacero, Francisco López Cámara y otros autores escudriñan el lenguaje alburero.[32]
- César Garizurieta, Paz y Portilla destacan las peculiaridades del lenguaje cantinflesco.[33]
- Monsiváis trabaja sobre la picaresca en la política nacional y la autoparodia involuntaria.[34]

Y hay una fuerte tradición de humor político que sigue activa hasta nuestros días.[35]

Todas estas aportaciones son muy valiosas pero están fragmentadas y dispersas en textos diversos; son piezas notables de un rompecabezas que aún no ha sido armado y que, muy probablemente, está incompleto.

Resulta curioso que a pesar de que se han escrito tantos pasajes célebres con grandes aportaciones sobre este tema, haya tan pocos intentos de dar una visión de conjunto de lo que es la cultura del humor en México. Una de las cosas que explican que casi nadie haya emprendido esta tarea es el hecho de que, aunque divertida, resulta difícil y riesgosa, pues es una labor multidisciplinaria que expone al investigador a la crítica más mordaz. El humor es un fenómeno complejo y para entender la cultura humorística de una sociedad es menester rastrear sus orígenes, estudiar su historia, buscar sus vínculos con otras culturas, entender qué mecanismos hacen reír a ciertos grupos y por qué. El presente ensayo tiene la intención de realizar una aproximación sistemática y de conjunto a la cultura del humor que se practica en México; hacer un primer armado de este rompecabezas incompleto.

Como en todo el mundo, en México el humor se practica de manera colectiva y casi siempre anónima por vastos sectores de la sociedad, lo que se presta a las generalizaciones sociológicas. Muchos de los autores que han escrito sobre el humor que se cultiva en nuestro país forman parte de ese grupo de pensadores —entre los que se encuentran figuras como Samuel Ramos, Paz o Portilla— que trabajaron sobre el tema *del mexicano* y *lo mexicano* en la primera mitad del siglo XX. Todos estos autores reflexionan sobre el *ser mexicano* y suelen abordar este tema de manera subjetiva a partir de enfoques que oscilan entre lo filosófico, lo poético y lo psicológico (hablan indistintamente de intuiciones, visiones de la muerte, resentimientos, complejos e inhibiciones). Estos enfoques mexicanistas han sido criticados por varios autores, notablemente por Roger Bartra, quien plantea que incorporar a la cultura nacional el debate sobre las diferentes maneras de ser *del mexicano*, la invención de un *ser nacional*, le sirvió a los políticos de la posrevolución para someter a la población, consolidar su poder político, crear un Estado nacionalista autoritario y preservar el orden establecido.[36] Es muy probable que el debate cultural sobre la identidad del mexicano haya contribuido a legitimar el régimen de la Revolución mexicana (es decir, al PRI) y es innegable que muchas de las reflexiones sobre el *ser mexicano* tienen un sesgo elitista y tratan peyorativamente a núcleos específicos de la población (en especial a los indígenas, los campesinos y los proletarios), justifican un estado de cosas opresivo y alientan la fatalidad y el desánimo (el listado de las características del mexicano que enumeran los mexicanistas parece un catálogo de defectos, insultos e invectivas; según diversos autores *el mexicano* es acomplejado, agresivo, débil, egoísta, hermético, resignado... la lista es larga). Es indiscutible que no existe una identidad nacional única, una sola manera de ser mexicano, sino muchas, y que éstas cambian con el tiempo, la geografía y los acontecimientos. Por estas y otras razones los enfoques mexicanistas han sido dejados de lado desde hace tiempo. Sin embargo, a pesar de las críticas nadie puede poner en tela de juicio que las aportaciones que hicieron Ramos, Paz, Portilla y otros pensadores a la cultura nacional trascienden los intereses del Estado priista; todas las críticas que se le puedan hacer a estos autores no invalidan el hecho de que la cultura en México tiene una deuda importante con ellos, pues muchas de sus observaciones son lúcidas y profundas.

En especial, no es posible ignorar que muchas de las reflexiones más valiosas e importantes que se han hecho sobre la cultura en México fueron realizadas precisamente por los mexicanistas, y no se puede revisar la cultura del humor que se practica en este país sin reexaminar sus postulados y aportaciones.

El presente ensayo sobre el humor en México no tiene como tema el "ser nacional" sino el humor que se cultiva en México. Así como no se puede hablar de un "ser mexicano" sin caer en prejuicios y generalizaciones absurdas, tampoco se puede hablar del *humor del mexicano* sin incurrir en los mismos errores; en cambio, así como se estudian el arte mexicano y la literatura mexicana podemos hablar de la cultura del humor que se practica en estas tierras, es decir, del *humor mexicano*.

Catalogar el humor que se practica en México por temas y géneros, estudiar las raíces literarias, históricas, sociales y psíquicas de las formas humorísticas, analizar los chistes, humoradas, bromas, salidas, ocurrencias, tipos y arquetipos cómicos, sátiras, canciones chuscas, textos irónicos y burlones y demás manifestaciones del humorismo nacional, permite revisar los mecanismos que hacen reír a diversos sectores de nuestra sociedad, lo que puede ayudar a comprender las lógicas, los prejuicios, resortes psicológicos y rasgos culturales que han compartido ciertos sectores de la sociedad mexicana en momentos específicos de su historia.

En las páginas siguientes revisaremos el humor mexicano tal como se manifiesta en chistes, anécdotas, canciones, películas, artículos periodísticos, caricaturas, historietas, piezas literarias y demás manifestaciones culturales.

Este estudio no pretende hacer un análisis exhaustivo del tema sino una primera aproximación sistemática y de conjunto —así sea parcial e incompleta— de un asunto que es vasto, complejo y divertido, pero que ha sido tratado de manera más bien marginal.

Hemos procurado, en la medida de lo posible, descartar chistes, bromas y demás juegos cómicos que circulan también en otros países y latitudes, y ceñirnos a lo que se puede considerar una cultura humorística netamente mexicana (chistes locales, obras firmadas por autores nacionales o por autores extranjeros que escriben sobre México, historias y anécdotas de personajes mexicanos).

En estos cuentos, historietas, epigramas, películas, piezas teatrales, *monos*, letreros, grafitis, canciones y versos satíricos están algunas de las claves, de las angustias y anhelos que mueven y conmueven a diversos sectores de la población, e incluso algunos rasgos psicológicos, culturales y sociales compartidos por ciertas capas de la sociedad nacional en momentos históricos definidos.

# capítulo uno
# México, tierra del humor negro

## Un humor negro como el carbón

En San Juan Ixhuatepec, una zona del Estado de México conurbada al Distrito Federal, había plantas industriales de almacenamiento y distribución de gases licuados; el 19 de noviembre de 1984 estalló una enorme esfera de gas incendiando la zona aledaña. Se calcula que murieron carbonizadas entre 500 y 600 personas. La escena era dantesca y la gente se solidarizó de manera ejemplar con los afectados por la tragedia. Según un testigo presencial, en un diario capitalino un fotógrafo que había acudido al lugar del siniestro mostraba unas fotos terribles, mientras la redacción especulaba sobre las causas de la catástrofe. Finalmente, un reportero afirmó saber el origen de la tragedia. En silencio, todos lo escucharon decir: "Todo esto se debe a que en *San Juanico* han abierto un nuevo restaurante: el *Kentucky Fried Children*".

Cuando el candidato presidencial del PRI, Luis Donaldo Colosio, fue asesinado en Lomas Taurinas en 1994, la gente se preguntaba por el futuro de sus hijos, ya que era sabido que su esposa Diana Laura tenía un cáncer terminal. Por esas fechas empezó a circular esta historia cruel:

> Días antes del asesinato de su marido, Diana Laura visita a una vidente y le pregunta: "En vista de mi enfermedad... ¿llegaré al DIF (institución del gobierno que maneja los orfanatorios de México y que tradicionalmente es encargada a la primera dama)?

A lo que la vidente responde: "No. No llegarás al DIF".

Diana Laura hace una segunda pregunta: "¿Y Luis Donaldo llegará a la presidencia?".

La vidente ve su bola de cristal, niega con la cabeza y dice: "No. Luis Donaldo tampoco llegará a la Presidencia".

Diana pregunta, angustiada: "¿Y mis hijos?".

La vidente responde animada: "Ahí sí puedes estar tranquila. Tus hijos, ellos sí llegarán al DIF".

La cultura del humor negro está muy expandida en México y los filósofos que reflexionan sobre *el mexicano* estudian este fenómeno. Jorge Portilla afirma que "en México el humor negro es cosa frecuente y los mexicanos ponen en obra esta actitud a veces con maestría espeluznante".[37] Por su lado, el escritor André Breton, líder de los surrealistas, afirmó que "México es la tierra de elección del humor negro".[38]

## Disección del humor negro

Si nos atenemos a la tesis de Freud de que el humor es uno de los métodos que desarrolla nuestra mente para vencer la opresión y el sufrimiento, entonces el humor negro es una forma extrema del humorismo, la que se ejerce ante las situaciones más horribles, crueles y descarnadas: la muerte, el asesinato, el secuestro, las catástrofes, las plagas, el genocidio, la guerra, la tortura, la mutilación, las enfermedades terminales y demás horrores. Esta forma de humorismo tiene sus particularidades pues las situaciones siniestras extremas provocan reacciones instintivas que parecen incontrolables como el terror, el pánico y el horror, a la vez que despiertan emociones humanitarias como la lástima o la piedad hacia las víctimas.

En un célebre ensayo, Breton afirma que el "humor negro está limitado por demasiadas cosas, tales como la tontería, la ironía escéptica, la broma sin gravedad (la enumeración sería larga) pero es, por excelencia, el enemigo mortal del sentimentalismo siempre al acecho".[39] Si el humor negro es una reacción ante instintos como el pánico y el terror, debe tomar distancia de toda forma de afecto y sentimentalismo y para ello tiene que atropellar los sentimientos e impulsos más civilizados —y débiles— como la lástima y la piedad que también despiertan las tragedias humanas. El humorista negro aparenta controlar sus instintos al punto de que se muestra tan terrible y monstruoso como las tragedias de las que hace escarnio; pretende ser tan cruel y despiadado como las situaciones de las que se burla, incluso su meta es mostrarse peor que los dramas de los que se mofa, colocarse por encima de ellos. Para practicar el humor negro es necesario mantener la frialdad del criminal sin serlo.

Dado que parece extraer placer del dolor propio o ajeno, el humor negro pareciera ser un mero ejercicio sádico o masoquista, pero no es así. No debemos confundir el humor sádico con el humor negro (a veces se confunden pero son, en el fondo, muy diferentes). En el sadomasoquismo no hay distancia afectiva entre el dolor y el placer, en cambio, el humorista negro toma toda la distancia afectiva posible del dolor. El humor negro aparenta ser terrible y cruel; sin embargo, en el fondo, no es más que un recurso para adaptarse a la crueldad y al terror de una realidad específica; es el ejercicio intelectual de una persona que busca sobrevivir al dolor; es un ejercicio de estoicismo en la medida en que es un acto de libertad en el que el individuo busca la aceptación del destino.

El escritor ecuatoriano Miguel Donoso Pareja, que vivió mucho tiempo en México, afirma que el humor negro "debe incluirse dentro del gran humor, que va siempre cargado de ternura y comprensión".[40] Detrás de casi toda manifestación de humor negro está un individuo que hace esfuerzos enormes por tomar distancia de un drama y por controlar su propio pánico, su sufrimiento, un ser humano aterrado por la crueldad y la fatalidad, un alma que busca entender y sobrevivir las penas de la vida corporal. De hecho, el humor negro es practicado con mucha frecuencia en situaciones extremas por personas desamparadas que no tienen más defensa que su ingenio y su sangre fría. En la cima de su éxito, Oscar Wilde, el genial escritor irlandés, vivió en Londres como un dandy de gusto exquisito. Fue procesado por sodomía y, como resultado del juicio fue encarcelado, primero, y luego desterrado a Francia, donde vivió en la pobreza. Unos días antes de morir, Wilde dijo: "Mi papel tapiz [el de su recámara] y yo estamos en un duelo a muerte. Uno de los dos se tiene que ir"[41] (por supuesto, ganó el papel tapiz).

## Maestros del humor negro

El humor negro es fundamental en la cultura humorística de México; sin embargo, no es posible hacer la historia de una manifestación cultural que no tiene muchos registros regulares y precisos, y éste es el caso del humor negro. Hasta nuestros días han llegado muy pocas muestras de lo que fue el humorismo precortesiano y durante la Colonia la risa siniestra era vista como una manifestación diabólica, por lo que no quedaron registrados muchos chistes sombríos, anécdotas o piezas literarias macabras de aquel periodo.

Sin embargo, hay elementos que obligan a pensar que la cultura del humor negro en estas tierras es ancestral y se remonta a la era prehispánica. Según la leyenda, cuando los españoles le quemaron los pies a Cuauhtémoc y a otro noble azteca para que dijeran dónde estaba el oro, el segundo se quejó amargamente con el primero, a lo que el rey azteca respondió: "¿Acaso estoy en un lecho de rosas?". Sin duda, con esta frase Cuauhtémoc hace gala de un elegante estoicismo, pero la formulación poética está cargada de negra ironía.

Muchas leyendas populares de la Colonia contienen escenas de humor siniestro. Una de ellas recoge la historia de un judío que fue procesado por la Santa Inquisición, despojado de sus bienes y sentenciado a morir quemado en la plaza pública; como era costumbre, los costos del juicio y la ejecución corrieron a cargo del procesado. La voz popular cuenta que, en un momento dado, el fuego casi se apagó, a lo que el reo gritó: "Echen más leña que mi dinero me cuesta".[42]

Es muy posible que esta escena haya inspirado un pasaje de una obra de teatro sacra y popular que recrea el martirio de san

Lorenzo quien, según la leyenda, fue sometido a un tormento de fuego por retar al prefecto de Roma; la versión novohispana recrea —con imprecisión, antisemitismo y orgullo machista— la escena en la que, en pleno martirio, el santo le pide a sus verdugos que lo volteen para asarse bien:

San Lorenzo, en la parrilla,
les gritaba a los judíos:
"¡Echen más leña, cabrones,
que tengo los huevo fríos!"[43]

Se sabe que a José Vasconcelos, el famoso *Negrito Poeta,* le faltaba un ojo y se cuenta que, en una ocasión, coincidió en una iglesia con el virrey conde de Moctezuma y Tula, que era bizco; al verse al lado de este compañero de desgracia, el Negrito le rezó a la patrona de los ciegos:

Señora Santa Lucía,
por tu singular clemencia,
dame un ojo, santa mía,
y otro para su excelencia.[44]

A una anciana pordiosera que pedía un par de medias viejas para cubrirse del frío, el Negrito le recitó:

Pobre de ti que te quejas.
A mí para tu remedio
¡Que te partan por en medio
Y tendrás dos medias
viejas![45]

En una ocasión, un amigo del poeta, El Tuerto Pancho, fue encarcelado y el bardo le prestó una sábana para mitigar el frío de la celda; después, el prisionero fue trasladado a la prisión de Ulúa en Veracruz, de donde pocos salían con vida. Vasconcelos le pidió a otros condenados que le dieran a su amigo este recado en el que le pedía que devolviese la sábana:

Si llegas a Veracruz
y allí ves a Pancho el Tuerto
le dirás que, por Jesús,
me mande [la sábana] en la cual fue
envuelto.[46]

Una de las pocas manifestaciones literarias originales novohispanas es *La portentosa vida de la muerte*, de la que hablaremos más adelante; esta obra tiene una manifiesta intención moralista pero está cargada de humor negro.

En el México independiente, algunos de los mejores textos de periodistas como José Joaquín Fernández de Lizardi y Pablo de Villavicencio, *El Payo de Rosario*, están cargados de humorismo macabro. El siglo XIX fue convulso y estuvo plagado de guerras, asonadas, golpes de Estado y revoluciones, lo que muy probablemente consolidó y extendió la cultura del humor negro en México. Algunas de las mejores páginas de la prensa satírica de aquel tiempo provocan una sonrisa malvada, como aquella que publica Constantino Escalante en la revista *La Orquesta* en 1862, donde vemos a la Patria a punto de recibir la carrera de la baqueta —un castigo militar que consiste en que un soldado pasa frente a una fila y cada uno de sus compañeros le da un golpe— de manos de los sucesivos gobiernos conservadores (desde Agustín de Iturbide hasta Zuloaga).

En los tiempos de la Intervención francesa, los escritores liberales como Ignacio Ramírez, Guillermo Prieto o Vicente Riva Palacio escriben decenas de versos llenos de un humor venenoso y cruel. En el periódico *El Monarca*, varios prominentes liberales firman sus versos y artículos burlones con seudónimos que hacen escarnio de las pretensiones nobiliarias de los conservadores mexicanos. El Conde de la Pandereta firma este poema:

Pasamos ¡ay! al siglo del progreso,
siglo de magnetismo y de vapores,
de archiduques asaz madrugadores,
y que todo se toman por el peso;

La carrera de baqueta, *caricatura de Constantino Escalante en* La Orquesta, *tomo I, año 2, 1862.*

y hay derechos, el público, el marítimo,
y el que llaman legítimo
de cañones rayados,
carabinas Minié, buques blindados,
potencias que intervienen y que tratan,
y sabios y congresos en que arguyen,
y emperatrices que en el novio influyen
y hasta zuavos que matan.[47]

Ignacio Ramírez, *El Nigromante,* patriota liberal y ateo declarado invoca a Dios, pero sólo para reclamarle:

Tú, señor, que a mi patria has revestido
De hermosura y riqueza el doble encanto,
¿Por qué, dime, señor, has producido
El incendio, la peste, la tormenta?
¿Por qué diste a la mar horrendos peces
A la flor el veneno,
Al cielo el rayo, el trueno?
¿Por qué diste a mi patria los franceses?[48]

Guillermo Prieto se burla de las familias que acogen en su seno a los soldados franceses con esta *Letrilla:*

[...] cuando el triunfo del manteo
anunció el traidor repique,
entró en casa don Fadrique
aumentando la boruca
y le dijo a su hija Cuca
moviendo alegre los pies:
*Ya vino el güerito, me alegro infinito*
*¡ay, hija! te pido por yerno un francés.*
[...]
Ya están como dos pichones
el galo y la mexicana;
tal los halla la mañana,
tal el toque de oraciones.

Dicen *oui* los marmitones,
y el papá con serio empaque
deletrea el Telemaque
con vivísimo interés...
*Ya vino el güerito, me alegro infinito,*
*¡ay, hija! Te pido por yerno un francés.*

Ha perdido la apetencia
La niña con triste empeño
Se le ve buscar el sueño
Y huye de la concurrencia.
Se le consulta a la ciencia,
Y el Doctor dice con pena
"Esta niña estará buena
Pero hasta el noveno mes".
*Ya vino el güerito, me alegro infinito,*
*Que te hable que al cabo ya entiendes francés.*

Entre dimes y diretes
Supo el público maldito
Que guardaba un soldadito
La niña entre sus juguetes.
Millares de chafiretes
Con Forey marchan al trote,
Y él responde... Que se dote
Al chico.... Y la unión después.
*¿Qué hacemos güerito? Lo siento infinito,*
*A ver quién se apunta, quién dota a un francés.*[49]

En la República Restaurada, la guerra fratricida entre caudillos liberales tuvo varios episodios sangrientos de guerra civil, y la prensa satírica de la época publicó decenas de versos y caricaturas cargados de humor negro. La dictadura porfirista fue pródiga en hechos represivos y los periódicos satíricos los retrataron en caricaturas con un humor macabro; en muchas de las imágenes de este periodo abundan aporreados, encarcelados, sacrificios humanos, ahorcados y mutilados. Es en esta época cuando se populariza el género de las calaveras.

La Revolución mexicana fue especialmente violenta y tiene un abultado anecdotario tragicómico. De las memorias de algunos revolucionarios el escritor Jorge Ibargüengoitia rescata pasajes chuscos y jocosos, como el del general Gualberto Amaya, quien cuenta que "cuando iba a librarse una batalla decisiva movilizó tres regimientos por ferrocarril, en dirección equivocada, obedeciendo a una llamada telefónica que resultó haber sido hecha por el enemigo".[50] Leopoldo Zincúnegui Tercero escribe un *Anecdotario prohibido de la Revolución* en el que afirma:

> Que en la revolución se ha hecho derroche de buen humor, "sprit" y oportunismo, no necesitamos jurarlo; bastará recordar la sangre fría y la tranquilidad con que nuestro pueblo, combatientes y no combatientes, ha asistido a la hecatombe teniendo siempre a flor de labio la frase oportuna, el chiste picaresco o el retruécano ingenioso que convierten la tragedia en sainete y el drama en carcajada.[51]

Zincúnegui recoge, entre muchas otras historias, la del fusilamiento del teniente altamiranista Lucio García, alias *El Poninas,* que tenía fama de ser irreductible:

> [...] todos los asistentes pudieron contemplar con espanto o admiración, la serenidad agresiva con que el teniente Lucio García era abatido por las balas de los carrancistas, no sin lanzarles antes duros denuestos e imprecaciones.
>
> Pero no obstante haber recibido el tiro de gracia y cuando ya todos lo habían dado por muerto, fue llamado un doctor que se encontraba entre los concurrentes, avisándosele que el "fusilado" todavía daba señales de vida.
>
> Y efectivamente, al acercarse al supuesto cadáver para auscultarlo, oyó que éste le decía en medio de un murmullo:
>
> —Los del 6° regimiento son puros "hijos de la tiznada". ¡Altamirano es su padre...!
>
> Y hubo que hacerle la "gracia" de repetirle el tiro de *ídem*.[52]

*Ilustración de la ejecución de El Poninas. Dibujo de Conejo, publicado en el libro de Leopoldo Zincúnegui Tercero.*

Del mismo modo, en muchos versos y corridos de este tiempo encontramos imágenes humorísticas de gran crudeza. Cuando Venustiano Carranza es asesinado en Tlaxcalaltongo, el pueblo canta:

Si vas a Tlaxcalaltongo
Procura ponerte chango,
Pues allí a Barbastenango
Le sacaron el mondongo.[53]

Después de la Revolución el humor negro se socializó al punto de que en México hasta el drama pasional más íntimo es susceptible de ser tratado con el más negro de los humores. Una valona michoacana relata los amores de un individuo con una mujer a la que le falta el pie:

Mis amigos, sin consuelo,
Me hacen burla de a de veras.
¡Ay!, si al cabo yo no la quiero
Para ir a jugar carreras.
[...]
Mi renga me anda celando
Por los cuentos de una Anita.
¡Ay! Muy cierto, la pobrecita
Que sí le andaba cantando.
Mi renga me andaba espiando.
¡Ay! Un día que me descuidé
¡Ay! Detrás de mí se fue.
¡Ay! Nos halló tras de unas jaras
y allí nos chingó a patadas...
Y ni falta le hizo el pie.[54]

A lo largo del siglo XX, en este país se practica el más cruel de los humores cada vez que ocurre una catástrofe. En septiembre de 1985 un terremoto sacude el centro del país. En la Ciudad de México se derrumban decenas de edificios y bajo los escombros quedan sepultadas miles de personas. Con una rapidez y una eficacia que el gobierno no entiende, la ciudadanía reacciona solidariamente: organiza el rescate de los sobrevivientes, dona comida para los damnificados, improvisa albergues. La solidaridad es conmovedora y tan abundante que sobran los voluntarios, de modo que los cientos de chistes sobre el temblor que circulan entre los capitalinos en esos días no pueden ser entendidos como una forma de escarnio o de indiferencia ante el dolor ajeno, sino como un recurso que ayuda a soportar el profundo dolor:

Un señor le habla a su esposa justo en el momento en que comienza el terremoto: "Estoy aquí en Tlatelolco, en el edificio Chihuahua, en el piso ocho... en el siete... en el seis... en el cinco... cuatro...".

—¿Por qué tardaron tanto en salir los chistes del temblor?
—Porque Pepito quedó enterrado en el Conalep.

¿Cómo juegan los niños de Tlatelolco? Dicen: "Un dos tres por mi primo Juanito que está debajo de esa columna".

—¿Qué le hacen de *lunch* a sus hijos las mamás de Tlatelolco?
— Puros emparedados.

El tenor Plácido Domingo, en apoyo a los damnificados del terremoto grabó un disco con canciones de Cri-Crí. Entre otras cosas grabó su versión de la canción *La Patita*. Según las malas lenguas, esta versión decía así: La patita... la manita... el cuerpecito...[55]

La literatura mexicana también abunda en pasajes de humor negro, desde las *Leyendas de la Colonia*, hasta la novela *Escuadrón Guillotina*, de Guillermo Arriaga, pasando por los *Cuentos de colores*, del Dr. Atl, el libro *De Fusilamientos*, de Julio Torri, *El complot mongol*, de Rafael Bernal, *Maten al león*, de Jorge Ibargüengoitia, *No hay final feliz*, de Paco Ignacio Taibo II y los *Cuentos héticos*, de Francisco Hinojosa (el humor negro en la literatura mexicana es tan rico y abundante que merece ser tema de varios ensayos). El propio Alfonso Reyes, hombre de pluma delicada y cuidadosa, tiene pasajes como este:

> Y cuando pasó la época fluida de las alarmas políticas y vino la solidificación del régimen porfiriano [el escritor Manuel Sánchez Mármol], se durmió en una curul de diputado por muchos años. Un día lo despertaron del sueño; sintió vagamente que lo trasladaban a otra sala más silenciosa, a otra silla más holgada y más muelle: es que lo habían hecho senador. Siguió durmiendo. Cuando despertó de nuevo estaba muerto.[56]

Del mismo modo, algunas de las mejores producciones del cine nacional son piezas de humor negro: *Él*, de Luis Buñuel, *El esqueleto de la señora Morales*, de Rogelio A. González y *Llámenme Mike*, de Alfredo Gurrola, entre otras. Asimismo, una de las más notables obras de teatro mexicana es *Los cuervos están de luto*, de Hugo Argüelles.

El humor negro que se practica en México es tan terrible que con frecuencia escandaliza y molesta a gente de otras latitudes. Esto no impide que en nuestro país también se practique el humor negro ante las tragedias internacionales. El 11 de septiembre de 2001 un avión de pasajeros se estrella contra una de las Torres Gemelas de Manhattan. La multitud azorada observa lo que parece ser un accidente y veinte minutos después otro avión arremete contra la segunda torre. Se trata del atentado terrorista más brutal de la historia moderna y durante varios días los medios especulan sobre quién es el autor del hecho. A las pocas horas de la tragedia, los mexicanos ya resolvieron una parte del enigma según un anónimo popular:

—El piloto del segundo avión era mexicano.
—¿Cómo puedes estar seguro de eso?
—Porque llegó veinte minutos tarde.

## De crímenes y otros chistes

Al igual que en otros países, en México los hechos de sangre son tratados con frecuencia como relatos épicos y, desde los tiempos de Chucho el Roto, muchos delincuentes son erigidos en héroes populares. La realidad de estos hechos delictivos suele ser más siniestra, menos heroica y a veces más chusca de lo que se cree. Algunos sucesos policiacos mexicanos han inspirado incluso modismos populares. Tal es el caso de Jesús Negrete, un bandido que en el año de 1905 asolaba el barrio de Santa Julia. Jesús era tan fiero que llegó a matar a dos gendarmes a mansalva, por lo que lo apodaron El Tigre. Este asesino se fugó de la cárcel y la policía no lograba aprehenderlo; finalmente, un día lo sorprendieron en la parte trasera de la casa de su novia, detrás de una nopalera, indefenso y cumpliendo con una necesidad fisiológica impostergable. Desde entonces, cuando a alguien lo toman totalmente desprevenido se dice que lo "agarraron como al Tigre de Santa Julia".

Desde el siglo XIX algunos corridos populares recogen hechos de sangre y los transforman en piezas de humor negro:

Entre las diez y las once
Juana se puso a pensar:
"Voy a matar mi marido
Para salirme a pasear".

Luego que ya lo mató,
Se agachaba y le decía:
"Ya te morites José,
Lucero del alma mía".

A la mañana siguiente
Juana se fue a presentar:
"Han matado a mi marido,
Váyanmelo a levantar".

Le trasculcaron la casa
Como demanda la ley.
Le hallaron una pistola
Y una navaja de buey.

Y le decía el juez de letras:
"¿Juanita, qué es lo que has hecho?".
"No tengo culpa, siñores,
que me quité lo mal hecho".[57]

En la década de 1980 el cantautor Rockdrigo narra un asalto desde la perspectiva de un asaltante alburero:

Éste es un asalto chido.
Saquen las carteras ya.
Bájense los pantalones
Que los vamos a basculear.
Saquen medallas y aretes,
Anillos y pulseras también.

Somos batos bien ojetes
Y nadie nos va a detener.[58]

El humor negro exige objetividad absoluta, desprendimiento afectivo total ante los hechos más brutales, lo que permite poner en relieve los detalles menores e insignificantes del suceso más siniestro. El autor del famoso corrido de *Rosita Alvírez* hace notar que:

El día en que la mataron
Rosita estaba de suerte.
De tres tiros que le dieron
Nomás uno era de muerte.

En una estrofa posterior se precisa:

La casa era colorada
y estaba recién pintada.
Con la sangre de Rosita
Le dieron otra pasada.[59]

Todavía a fines del siglo XX y principios del XXI en la Ciudad de México circulan de boca en boca historias como esta (hemos omitido nombres y cambiado datos para proteger a los protagonistas):

> Una señora del Pedregal [una colonia residencial de lujo al sur del DF] se había quedado sola en su casona. Esa noche, como todas las noches, antes de dormir se puso tubos y se aplicó una mascarilla de aguacate. En ésas estaba cuando oyó pasos en la sala. La *ñora* pronto concluyó que se trataba de un ladrón y, aterrada, se encerró en el clóset de su cuarto, esperando no ser descubierta. A los pocos minutos el delincuente entró a su habitación; registró los cajones de la cómoda, revisó un escritorio y finalmente se dirigió al clóset. Cuando el ratero abrió la puerta, la señora, acorralada, pegó un grito de terror... y el pobre caco cayó muerto de un infarto cardiaco.

O esta otra del anónimo popular:

Una pareja de jóvenes universitarios que vivía en un departamento de un conjunto habitacional tuvo un problema con el fregadero de la cocina. El sábado en la mañana el marido se dispuso a arreglar el desperfecto, sacó sus herramientas y se metió abajo del fregadero. En ésas estaba cuando su esposa salió al supermercado. Pronto, el joven se dio cuenta de que el problema del fregadero era más complicado de lo que él creía y trajo a un plomero quien, de inmediato, se metió abajo del fregadero. La joven esposa llegó y, al ver unas piernas masculinas salir del fregadero, concluyó que se trataba de su esposo; sacudió cuidadosamente con una mano la entrepierna del plomero mientras con voz cariñosa le decía: "¿De quién son estos huevitos?". El pobre plomero sufrió fractura craneal múltiple.

Algunos humoristas mexicanos retoman la cultura de nota roja para inventar caricaturas, cuentos o canciones. El compositor Chava Flores canta:

> Se notició que ha sucedido un crimen
> En el expreso que directo va a Torreón.
> Se victimó a un artista de cine
> Que era villano de películas de acción.
> Muerto quedó de ochenta puñaladas
> Que un individuo sin permiso se las dio.
> El infeliz se defendió a patadas.
> Tan delicado, nomás de eso se murió.[60]

Al final de la canción nos enteramos de que el asesino fue el investigador de la policía quien confiesa que mató al actor "porque en el cine era muy malo y muy matón". La caricatura política mexicana usa mucho el humor negro y es común ver chistes siniestros en estampas de Rius, Naranjo, Helioflores y los moneros de *La Jornada*. Sin embargo, el gran maestro de la gráfica de humor negro en nuestro país fue el dibujante yucateco Carlos Dzib; uno de sus dibujos representa a un atropellado que, en medio del charco de su propia sangre, empeñó los últimos esfuerzos de su vida para escribir con su hemoglobina en el pavimento estas palabras en las que denuncia a su asesino: "Alcancé a ver que era un Volkswagen". En otro dibujo de Dzib, un policía le pregunta a un atropellado: "¿Recuerda usted las placas del coche que lo atropelló?" A lo que el segundo responde: "¡No, pero reconocería las risotadas del conductor!".

## Nota roja-humor negro

Tal como ocurre en otras partes del mundo, en especial en América Latina, en México goza de una gran tradición el periodismo de nota roja, ese género informativo que refiere eventos violentos (relatos de hechos criminales, catástrofes, accidentes y escándalos en general). Es muy probable que el gusto por las narraciones de hechos sangrientos se remonte a la era prehispánica, pero es innegable que durante la Colonia alcanza grandes momentos en las historias que narran el martirologio de los santos católicos —un caso paradigmático es el de san Felipe de Jesús, el primer santo mexicano—. Uno de los textos históricos más populares del siglo XIX es *El libro rojo,* de Vicente Riva Palacio y Manuel Payno, que hace una recopilación de sucesos históricos sangrientos que van desde el asesinato a pedradas de Moctezuma, hasta la ejecución de Melchor Ocampo. En el siglo XIX Vanegas Arroyo publica hojas volantes de bajo costo que proclaman hechos de sangre como los crímenes de la Bejarano. Algunas de estas historias están adornadas con dibujos fantásticos de José Guadalupe Posada en los que vemos a los demonios empujando a los criminales a cometer sus fechorías.

A principios del siglo XXI, en el Distrito Federal se siguen publicando cuatro periódicos de nota roja (*La Prensa, El Sol de México, Metro* y *Ovaciones de la Tarde)* con tirajes enormes. Sin embargo, la publicación emblemática de la nota roja nacional es la revista *Alarma*! que se publicó de 1950 a 1983. En sus portadas esta revista publicaba, esencialmente, fotografías espeluznantes

*Caricaturas de Carlos Dzib.*

*Ilustración de una hoja sensacionalista por José Guadalupe Posada.*

de escenas escabrosas —cadáveres, cuerpos mutilados y otras lindezas—, aderezadas con cabezales escandalosos que hicieron escuela: se trata de frases sintéticas, contundentes y llamativas que apelan al morbo de manera fulminante:

NO ME MATES PAPACITO, NO HE HECHO NADA MALO

En el libro *Picaresca de la nota roja,* Miguel Donoso Pareja refiere que con cierta frecuencia los redactores de la sección policiaca inventan sus historias, ya sea porque escasean los hechos de sangre, por pereza o por mera diversión (el editorialista Pedro Miguel afirma haber conocido a un tipo que posaba para algunas fotografías de *Alarma!).* En su libro, Donoso recopila notas como esta, publicada en *Alerta:*

MIL PESOS LE DIERON POR CADA MANO. LÁSTIMA QUE SÓLO TUVIERA DOS[61]

Por supuesto, los mejores cabezales de las publicaciones de nota roja son los que echan mano del humor negro:

JUGARON FUTBOL CON SU CABEZA (QUEDARON 2-0)

ASESINÓ A SU MADRE SIN CAUSA JUSTIFICADA

Un estudio fotográfico muestra a un peregrino guadalupano con el pecho, la espalda y las rodillas sangrando profusamente por los nopales que se ha pegado al cuerpo. Sobre las imágenes, el cabezal dice: CASO DE FANATISMO MAL ENTENDIDO

LE DIERON 14 PUÑALADAS EN UN OJO Y SE TEME QUE LO PIERDA

EL DESCUARTIZADO ERA UN HOMBRE ÍNTEGRO

Con motivo de la muerte del luchador llamado El Santo, un ídolo popular: SE NOS FUE EL SANTO AL CIELO

¡NUNCA ME HAGAN ESTO! (cabezal sobre un *close up,* a féretro abierto, del rostro del cadáver del cómico Clavillazo, cuya muletilla cómica era precisamente esta frase).

CONFUNDEN A MUJER AHORCADA CON ADORNO DE HALLOWEEN

LE DIO 27 BALAZOS. Y DICE QUE "FUE SIN QUERER"
Sobre una fotografía que muestra a un campesino miserable cargando a un pavo vivo que está metido en una bolsa de plástico: SU AMOR CON UNA GUAJOLOTA LO LLEVÓ A LA CÁRCEL. ERA UN TIPO CON IDEAS FRANCESAS

INCESTO QUE ACABA MAL

BEBÉ DE 6 MESES MATA A SU MAMÁ A BIBERONAZOS

Una fotografía muestra a una mujer joven que ha sido tasajeada a navajazos. Sobre esta imagen se lee: SU NOVIO LA CORTÓ.[62]

Estos *haikus* sangrientos son notables por su humor, pero el encabezado clásico de *Alarma!*, el que hizo escuela y marcó a varias generaciones de periodistas es el que, parodiando el lenguaje del Ministerio Público, dice: "Siguióla, violóla y matóla".

El periodismo de nota roja sirve como un indicativo de cuán descarnada puede llegar a ser una sociedad pero, al igual que los cuentos de hadas terribles, las noticias escabrosas y, muy en particular el humor de nota roja, ayudan al individuo a prepararse ante la violencia y la crueldad de su entorno ("¿qué es lo peor que me puede pasar?", "me podrá ir mal, pero peor le fue al que salió en la portada del *Alarma!*").

## El *juar boiled*

Si la acumulación y la exageración son mecanismos fundamentales del humor, la suma de tragedias es la base de un género especial del humor negro que se practica en todo el mundo: el humor de hecatombe (un clásico de esta vertiente es el *Cándido* de Voltaire, una novela en la que le ocurren las peores tragedias al discípulo de un filósofo que cree que vivimos en el mejor de los mundos posibles). Así como en la novela negra existe el "huevo cocido" ("*hard boiled*", género en el que la violencia interminable es la protagonista), algunos humoristas mexicanos practican lo que podríamos llamar el *juar boiled,* que es una sucesión inverosímil de dramas sangrientos.

En 1929, en *Revista de Revistas* de *Excelsior,* Ernesto García Cabral dibuja una historieta en la que un individuo desesperado, tras escribir una carta en la que pide a todos los miembros de su familia que sigan sus pasos, se pega un balazo; su mujer,

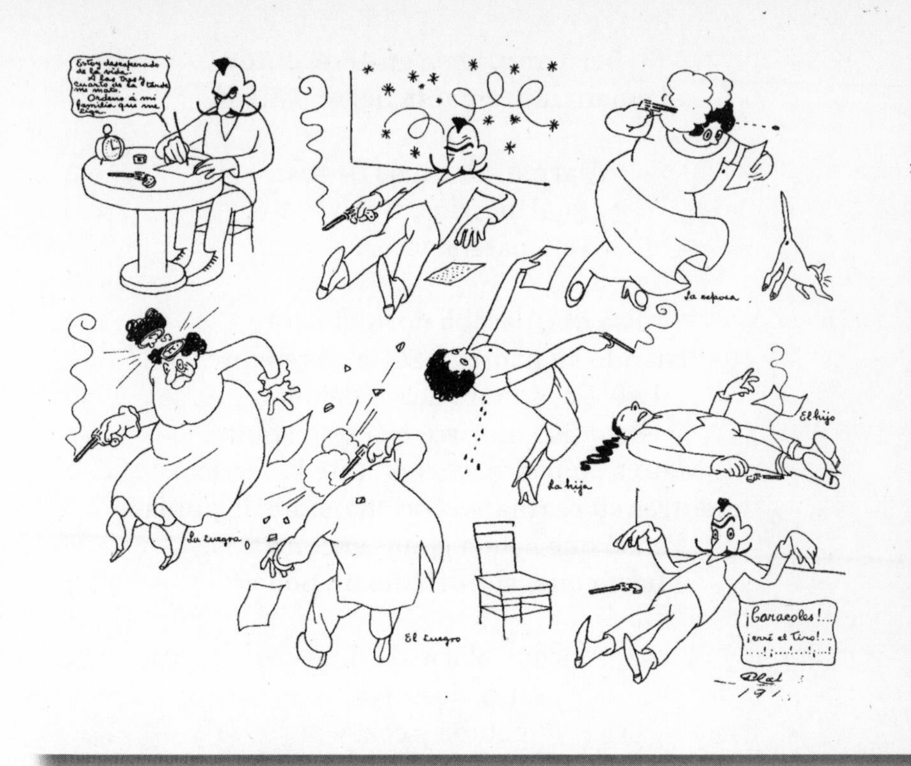


*Historieta de García Cabral*
*en* Revista de Revistas.

su suegra, sus hijos, obedecen la instrucción, todo para que al final resulte que el autor de la súplica erró el tiro.

En un homenaje a la revista *Alarma!,* el grupo de rock mexicano, *Botellita de Jerez* canta:

**¡Alármala de tos!**

La Lola, paciente mendigaba,
sufría, su jefe la obligaba
con ella, sacaba buena lana,
la pobre era jorobada
Su madre, le metía al talón,
era perversa, y de mal corazón.

Su hermano, vivía en el reventón
él era un lilo, amante de un panzón.

Alarma, alármala de tos.
Uno, dos, tres,
patada y coz.

Ese día, pasaba normalmente,
cuando su padre, atacóla de repente;
violóla, con un deseo demente,
y ella quiso morirse en ese instante.
Mató a su padre, cuando éste la seguía,
mientras su hermano, con su madre, le ponía.
Pensó que ayuda jamás encontraría,
hasta que, al fin, halló un policía.

Alarma, alármala de tos.
Uno, dos, tres,
patada y coz,

La Lola, su historia lloró,
y auxilio al *tira* imploró.
El azul, sonriendo la miró
¿Qué creen que fue lo que pasó?
¿Qué pasó?

Siguióla, atacóla, golpeóla, violóla y matóla...
con una pistola
Alarma,
Alarma...[63]

La acumulación de hechos violentos y terribles no es exclusiva de la nota roja; algunos episodios de la historia nacional participan de este frenesí sangriento. Al final de la Revolución mexicana, los principales caudillos conspiran todos contra todos y se matan unos a otros a sangre fría. Una de las peculiaridades del *juar boiled* mexicano es que, con frecuencia, el género se confunde con la historia patria, deja de ser un trabajo de ficción, una crónica de nota policiaca para convertirse en relato histórico. Esta forma de humor de hecatombe no es exclusiva de México, pero encuentra en nuestro país modelos históricos perfectos. El corrido de *Catarino Maravillas*, de Miguel N. Lira, hace un recuento de lo que fue la guerra fratricida en la Revolución:

Madero murió a balazos.
—¡La cosa se puso mal!—
Catarino Maravillas
Con Zapata fue a pelear.
[...]
Zapata murió a balazos.
—¡La cosa se puso mal!—
Pero quedaba Carranza
Y con Carranza fue a dar.
[...]
Carranza murió a balazos.
—¡La cosa se puso mal!—
Catarino Maravillas
Con Villa se fue a pelear.[64]

Esta carnicería fratricida dio pie a este corrido, escrito por Pedro Miguel en la década de 1980:

**El corrido de las carnes frías**

Carranza mató a Zapata,
mas no le duró la dicha,
porque a Carranza, a su vez,
Obregón lo hizo salchicha.

Algunos años más tarde,
le tocó a Francisco Villa,
la triste suerte de ser
convertido en vil morcilla.

Después, siendo presidente
el general Obregón,
un tipo desconocido
nos lo transformó en jamón.

Y al hablar de los jamones
en aquel tiempo lejano,
no podemos olvidar
el nombre de un tal Serrano.[65]

## De horrores y errores de lógica

El horror trastoca la cotidianeidad pero no borra la tontería ni la estupidez. Si en una situación normal los errores de lógica son material para el humor, en los sucesos sangrientos las tragedias o los procesos judiciales son la base del humor negro.

La lógica dice que la justicia debe ser impartida por los mejores ciudadanos, pero en México, con mucha frecuencia, nos encontramos con que en los asuntos más serios la última palabra la tiene un juez corrupto, un agente siniestro del Ministerio Público, un judicial aliado a la delincuencia o un agente policial analfabeto. Ello da pie a un humor involuntario del que tenemos conocimiento gracias al registro de la ciudadanía, de los periodistas y del propio aparato judicial. Así, por ejemplo, un policía de Sahuayo, Michoacán, expide, una multa "Por fajársele al pedo al suscrito" y otra "Por negarse a dar su nombre el occiso",[66] y en el Distrito Federal un agente de tránsito multa a un conductor que circulaba en sentido contrario: "por circular de acá *p'allá*, cuando el sentido es de allá *p'acá*".[67]

En otras ocasiones, los errores de lógica no se deben a la tontería, el atraso o la ignorancia supina de las autoridades, sino a que los valores que supuestamente deben defender los cuerpos del orden se han pervertido totalmente. Así, a altas horas de la noche, un policía detiene a un conductor "por manejar con exceso de precaución" (a esas horas sólo respeta las señales de tránsito quien no está en regla).

Entre los errores y horrores de lógica más comunes están los excesos de autoridad, los abusos de los agentes del orden, las corporaciones policiacas que en vez de representar la salvación del ciudadano encarnan el atropello y son refugio del crimen organizado. Así, durante décadas se han hecho caricaturas sobre ciudadanos que prefieren sucumbir ante el asaltante que caer en manos de la policía. Este registro de errores de lógica siniestros forma parte de un anecdotario ciudadano que resulta aleccionador pues prepara al individuo para lidiar con un sistema judicial monstruoso, absurdo y arbitrario. Con frecuencia, la recopilación y divulgación de estos "errores de lógica" y los chistes subsecuentes son las únicas venganzas que puede cobrarse el ciudadano desprotegido.

## La gracia de la tortura

En México existe un largo anecdotario sobre un tema particularmente violento, cruel y escabroso: la tortura y las violaciones a los derechos humanos.

Los aztecas practicaban sacrificios humanos sangrientos y crueles: desollaban, desmembraban y le sacaban el corazón a sus prisioneros. Uno de los primeros actos de gobierno de Hernán Cortés fue quemarle los pies a Cuauhtémoc para que le dijera dónde estaba el famoso tesoro de los aztecas; un soldado gachupín le reclamó a don Hernando su parte del reparto con estos versos:

Cortés, quemaste los pies
A Guatemoc por el oro
Y aqueste es el día que añoro
Que a este súbdito le des
Una brizna del tesoro
Aunque lo escondas después.[68]

En la Nueva España, el Estado mantiene un férreo control sobre la población y la tortura es un procedimiento común que practican las autoridades civiles y religiosas, pues la iglesia tiene en la Santa Inquisición una institución que se encarga de dar tormento a quien se desvíe del dogma católico. Por su tradición de realizar autos de fe públicos en los que quema vivos a los herejes, los ciudadanos apodan a la Inquisición *Doña Chamusquina*. Por supuesto, los castigos corporales se aplican con frecuencia y rigor en la guerra de Independencia, cuando la estabilidad del régimen está en riesgo. En los primeros años del México independiente, el escritor Pablo de Villavicencio, *El Payo de Rosario,* cuenta con cruel ironía cómo, durante la gesta insurgente, los realistas cumplen con las obras de misericordia que manda la iglesia católica ("dar posada al peregrino", "redimir al enemigo", "rogar por vivos y muertos"):

Una vez á un campamento
llegó por su mal destino
cierto rico á quien la noche
quizá agarró en el camino;
y allí le despellejaron
diciendo: este á espiarnos vino;
por eso á veces no es bueno
*dar posada al peregrino.*
[...]
Cuando entre sus garras caía
algún insurgente vivo,
breve le decapitaban
sin más causas ni testigos:
la ordenanza, decían, manda
morir al enemigo,
porque ellos nunca entendían
de *redimir al enemigo.*
[...]
Tenía Doña Chamusquina
unos hijos tan expertos,
que echaban excomuniones
en decenas de los nuestros:
mas ya murió, acá no vuelva,

ni veamos jamás sus restos:
*requiescat in pace, roguemos*
*á Dios por vivos y muertos.*[69]

En el México independiente los castigos corporales son cosa común en las haciendas, y el fuerte de San Juan de Ulúa en Veracruz es convertido en una prisión húmeda, calurosa e infernal donde se martiriza a los reos. Durante la Intervención francesa, las tropas de Napoleón III practican la tortura de manera regular para infundir terror entre los juaristas. En tiempos de Porfirio Díaz, los golpes y maltratos a los detenidos por las fuerzas del orden son cosa de todos los días. En el México posrevolucionario la confesión es una de las pocas pruebas legales que le permiten a las autoridades judiciales encarcelar a un delincuente por lo que la tortura se convierte en una práctica cotidiana. En las décadas de 1970 y 1980, durante la guerra sucia contra la guerrilla, el abuso y la tortura en México alcanzan uno de sus momentos más espantosos. El investigador Fritz Glockner documenta que la violencia oficial en los sexenios de Luis Echeverría y José López Portillo fue igual o peor a la que se practicó bajo las dictaduras de Augusto Pinochet en Chile o de la Junta Militar en Argentina. Organizaciones de derechos humanos documentan hechos tan bestiales como tirar a los detenidos desde aviones a gran altura, torturar a sus hijos o hacerles beber gasolina para luego prenderles fuego.

Algunos relatos de sobrevivientes torturados refieren cómo, en medio del horror, se daban situaciones paradójicas. Un testigo presencial refiere:

> Estábamos en un separo allá en Chihuahua. En cada esquina del cuarto tenían a un detenido: tres veníamos de la guerrilla y el cuarto era un pobre teporocho al que habían agarrado nomás porque sí. Los judiciales iban de esquina a esquina para interrogarnos por turnos; buscaban pruebas comprometedoras, propaganda subversiva; en especial, nos preguntaban si teníamos ejemplares de *Madera,* el órgano de la Liga 23 de Septiembre. Cuando les llegó el turno de interrogar al teporocho, le dieron un par de cachetadas y le

preguntaron: "¿Tienes *Madera?*" Para sorpresa de todos, el vagabundo respondió que sí. Se hizo un largo silencio en la habitación; nadie se esperaba que el vagabundo estuviera vinculado al movimiento armado; los esbirros se miraban entre sí, como diciendo "ya cayeron"; los demás interrogados estábamos llenos de angustia por lo que venía. Para cerrar su pesquisa, uno de los judiciales preguntó: "¿Dónde la tienes, pendejo?" El interrogado, con voz temblorosa respondió: "Guardada en un cuarto". El *tira* insistió: "¿Qué haces con ella?" El teporocho replicó: "Es para hacer un cuartito" y se echó a llorar. Todos los demás se atacaron de la risa.

Por supuesto, las desapariciones, las torturas y otras prácticas violatorias de los derechos humanos eran ilegales, por lo que para llevarlas a cabo el gobierno creó grupos represivos clandestinos como la siniestra Brigada Blanca. Estos grupos gubernamentales delictivos operaban a discreción y con impunidad, y tenían vínculos con el crimen organizado. Así, cualquier ciudadano podía ser secuestrado, torturado y asesinado de manera abusiva e impune por el Estado.

Para defenderse de este horror, algunos sectores de la sociedad impulsaron la creación de Organismos No Gubernamentales (ONG's) de derechos humanos y, en un terreno más personal, aprendieron a hacer humor sobre el tema. En Veracruz, durante el sexenio del gobernador Agustín Acosta Lagunes actuaba con impunidad un grupo de sicarios que siempre llegaba echando mucha bala; el pueblo los bautizó como "La Sonora Matancera".

Hasta donde sabemos, en ninguna otra parte del mundo se hacen tantas caricaturas sobre la tortura ni se cuentan tantos chistes populares como este:

> Hay un concurso internacional de investigadores policiacos; la tarea es traer un conejo en el menor tiempo posible. El agente del FBI trae un conejo en 29 minutos; el agente de Scotland Yard lo consigue en 18 minutos; al cabo de 36 horas, el agente de la Procuraduría General de la República mexicana trae un elefante

*Caricatura de Rius.*

viejo y muy golpeado, a lo que uno de los jueces del concurso dice: "Pero si esto no es un conejo", y el elefante responde, aterrado: "¡Soy un conejo! ¡Soy un conejo!".

O este:

Se descubre una nueva pirámide en Egipto y hay grandes incógnitas sobre su antigüedad, sobre quién es el faraón que está enterrado allí y sobre cómo fue construida.

Estados Unidos manda a un equipo de arqueólogos de Harvard que después de tres años concluye que el monumento fue construido entre el 1800 y el 2000 aC. Gran Bretaña envía a un equipo de egiptólogos quienes, tras una minuciosa investigación, concluyen que fue construida entre 1900 y 1975 aC.

Alemania contribuye con un equipo de médicos y científicos que realizan pruebas de ADN, tomografías, pero sólo logran establecer que la pirámide fue construida cerca del 1950 aC. y que el faraón murió asesinado.

Finalmente, México envía a dos judiciales de la Procuraduría General de la República quienes, después de seis horas salen con la siguiente información: "La pirámide fue terminada en 1949 aC., el faraón aquí enterrado era Tutancamión III, fue asesinado por su esposa Nefastitis porque la quería repudiar; participaron en la construcción 15 235 esclavos, la mayoría eran nubios. La pirámide fue saqueada en el siglo IV antes de Cristo por unos ladrones de tumbas romanos..."

Los egiptólogos, consternados, confirman una a una la verosimilitud de la información y preguntan a los judiciales mexicanos: "¿Pero cómo lograron averiguar todo esto?". A lo que los *tiras* responden: "Nos costó un chingo de trabajo, pero al final, la pinche momia soltó toda la sopa".

O este otro:

Un tipo camina por las calles de la ciudad y de pronto unos judiciales lo secuestran y lo meten en la parte trasera de un automóvil. Mientras uno de los *tiras* maneja, rechinando llantas, el otro le pone el pie en la cara al secuestrado mientras lo amaga con un revólver. El coche da vueltas y finalmente se detiene en un estacionamiento oscuro. El pobre civil es metido a un cuarto sucio y maloliente en el que está un tambo lleno de aguas turbias. Antes de meterle la cabeza en ese recipiente, uno de los guaruras le dice:

—Ahora nos vas a decir dónde están las joyas, hijo de la chingada.

La zambullida parece eterna. El torturado suelta el aire, traga agua puerca y siente que se muere, pero le sacan la cabeza justo antes de que pierda el conocimiento. El *tira* le insiste: "¿Dónde están las joyas?"

Y el interrogado responde: "No sé dónde están".

La operación se repite hasta que el ciudadano dice: "Miren. Yo no sé dónde están las joyas, pero, ¿por qué no se traen a un buzo?, porque yo no veo ni madres".

Desde mediados del siglo pasado, Rius y otros caricaturistas políticos hacen chistes sobre escenas de tortura policiaca. En la década de los ochenta, el autor de estas líneas creó a *Mike Goodness y el Cabo Chocorrol,* una pareja siniestra compuesta por un comandante de la Judicial y su madrina, dos torturadores torpes y poco instruidos que, entre otras aventuras, dejan olvidado a un individuo en la cajuela de su coche durante una semana; juegan con los agentes de otra corporación a sembrarse cadáveres e incluso llegan a poner una taquería para deshacerse del cuerpo de un interrogado que se les murió en los separos.

Los chistes sobre la tortura también le sirven al individuo como un escape ante el horror y una forma de hacer soportable la idea de que en algún momento puede verse enfrentado a ese horror.

## El narcotráfico y otras bromas pesadas

En México, la cultura de nota roja está lejos de ser un mal recuerdo de un pasado violento y bárbaro. Por el contrario, en décadas recientes se ha fortalecido y consolidado. Después de

*Caricatura de El Fisgón.*

# Algo huele mal

Las aventuras de Mike Goodness. *Historieta de El Fisgón.*

la guerra sucia, en la era neoliberal, muchos de los policías que laboraron en los cuerpos represivos metaconstitucionales privatizaron el negocio de la violencia y se dedicaron al secuestro y al narcotráfico. Desde el sexenio de Miguel de la Madrid, el tráfico de estupefacientes se establece, de manera acelerada, como uno de los negocios más fructíferos del país, al punto de que a principios del siglo XXI es una de las principales fuentes de divisas de la nación, junto con el petróleo y las remesas de los emigrantes. El hecho de que una actividad delictiva se convierta en un sector clave de la economía ha tenido efectos devastadores en la sociedad mexicana. Cada vez es más común que los encabezados de los diarios nacionales se ocupen de hechos criminales, y algunos momentos de la guerra entre capos —como las videoejecuciones que se difunden por internet o las series de decapitaciones— han conmocionado al país y al mundo.

Por algunas notas periodísticas sabemos que los sicarios del narco practican el más siniestro humor negro, de modo que cuando preparan una sesión de tortura dicen que van a una "carne asada" y llaman "pozoliza" a la práctica de disolver un cadáver en un tambo de ácido. La sociedad también asume la narcocultura con humor negro. Cuando ciertos jerarcas de la iglesia católica elogiaron públicamente a los narcos por su generosidad a la hora de dar dinero a la iglesia, el vulgo estableció una nueva categoría: *los narcosotánicos*, en alusión a la secta sanguinaria de los narcosatánicos.

La consolidación de cárteles de la droga, redes de lavado de dinero, grupos de sicarios, mafias y demás entidades del crimen organizado genera una suerte de narcocultura que tiene diversas manifestaciones: desde el culto a Malverde (el santo contrabandista) hasta películas de acción de bajísimo presupuesto que exaltan hechos delincuenciales, pasando por narcocorridos que justifican y celebran la ilegalidad.

El narcocorrido es una forma particular del corrido, ese género musical tradicional cuyos orígenes se remontan a la época colonial y que canta las hazañas de héroes populares. El narcocorrido suele tener la forma de una polka norteña y es cantado por diversas bandas musicales, sobre todo de Sinaloa, Sonora y Coahuila, para difundir la vida y milagros de los narcotraficantes, sus socios y secuaces. La canción *El agricultor*, de Rogelio Valver, explica por qué un honrado campesino terminó por cultivar marihuana:

Por ambición al dinero
me metí en el contrabando,
no soporté la pobreza
las promesas me cansaron.
Me estaba muriendo de hambre
y todo por ser honrado.[...]
Hoy tengo mucho dinero
y vivo como quería,
sigo siendo agricultor,
nomás cambié la semilla [...].
No se me espanten señores [...]
si hay otros peores que yo
y hasta los andan cuidando.[70]

Los Tigres del Norte cantan *Contrabando y traición*, de Ángel González, la historia de Emilio Varela y Camelia la Tejana. En esta pieza la tragedia de una pareja de traficantes deriva en melodrama moralista:

Salieron de San Isidro
procedentes de Tijuana
traían las llantas del carro
repletas de marihuana.
Eran Emilio Varela
y Camelia la Tejana.
[...]
Una hembra si quiere a un hombre
por él puede dar la vida,
pero hay que tener cuidado
si esa hembra se siente herida.

La traición y el contrabando
son cosas incompartidas.
[Después de que se realiza la operación]
Emilio dice a Camelia
"Hoy te das por despedida,
con la parte que te toca
ya puedes rehacer tu vida,
Yo me voy *pa'* San Francisco
con la dueña de mi vida".
Sonaron siete balazos,
Camelia a Emilio mataba,
la policía sólo halló
una pistola tirada.
Del dinero y de Camelia
nunca más se supo nada.[71]

Algunos de los *video-homes* que se han producido en México en las últimas décadas tienen títulos llenos de un humor que no sabemos si es voluntario o no: "Soy el cabrón que buscabas", "Y tu mamá también es narca", "La licenciada blindada" o "Te ando buscando *pa'* partirte la madre".

Los narcos mexicanos también han dado pie a la creación de arquetipos cómicos. En la revista *El Chamuco,* el dibujante Helguera recrea la relación de Quica, una beata persignada y mocha de los Altos de Jalisco, con su sobrino Pin Pón, un sanguinario narcotraficante. En un episodio de *Quica y Pin Pón,* la vieja cambia, sin saberlo, un cargamento de cocaína por sopa de pasta; en otro, la policía está intrigada porque en el cuerpo de un ejecutado aparece lo que parece ser un narco-mensaje críptico: una caja con un ate de guayaba y un letrero cariñoso de Quica a una vieja amiga.

Así, la cultura del humor negro en México se recicla con la llegada de nuevos actores políticos, económicos y sociales, pero conserva características ancestrales.

Quica y Pin Pón, *historieta de Helguera.*

## Humor prieto cabrón

El humor negro surge generalmente ante una realidad violenta y descarnada y se cultiva constantemente en México. En casi todo el mundo se practica el humor funerario y se hacen chistes sobre las tragedias y los dramas personales (en Estados Unidos abundan los chistes sobre el asesinato de Kennedy, la explosión del *Challenger* o el atentado contra las Torres Gemelas). Pero creemos que existen manifestaciones de humor negro que son típicamente mexicanas, tales como el periodismo de *Alarma!*, los chistes de tortura, los corridos de nota roja y los narcocorridos satíricos. Asimismo, el humor negro en México ha dado a luz a arquetipos cómicos siniestros como El Tigre de Santa Julia, el torturador y su madrina, y el narco y su abuelita mocha. Lo descarnado de la realidad nacional hace que el humor negro mexicano tenga una personalidad muy peculiar, tanto que se podría decir que en este país más que humor negro se practica un *humor prieto cabrón*. Donoso Pareja opina: "Éste es el humor mexicano, un humor negro que no está huérfano de cierta ternura y que lleva en sí, de manera incuestionable, una actitud crítica, elemento que caracteriza [...] al gran humor".[72]

Una de las manifestaciones más típicas del humor negro en México es el humor funerario, el humor referido a la cultura de la muerte y cuya máxima expresión son las calaveras.

capítulo dos
# El país de las calaveras vivientes

## La muerte y otras rutinas

En 1929, la revista *Fantoche* publicó un *Cuento de Día de Muertos* que empieza así:

Casi todos a la muerte
Aunque maldigan su suerte,
Le tienen pánico atroz
Y algunos ¡válgame Dios!
Hasta se atacan del cisco.
(Mire al fin el asterisco.)*[73]

En todas las latitudes, la muerte es el tema inevitable y fundamental de la vida. La única certeza ineludible de nuestra vida es que vamos a morir. Alrededor de esta paradoja vital se construyen civilizaciones, se fundan religiones, se arman ritos, se tejen complejas teorías filosóficas, se producen obras maestras y se hace humor.

La muerte es inevitable y da miedo; para lidiar con el miedo a la muerte y con la muerte misma, cada cultura construye su propia visión del *más allá* y organiza rituales funerarios específicos. La mayoría de las colectividades humanas prefieren

---

*Cisco: No sé en ruso lo que es/ y lo ignoro en japonés./ En chino, ¡bah!, ¡ni lo toco!/ pero lo que es en inglés/ o en esperanto... ¡tampoco!

ver la muerte como un asunto distante, siempre postergable. Para la cultura occidental, mientras más lejos estemos de la muerte, mejor, pues ella es la antítesis de la vida, el gran obstáculo para quienes quieren vivir. Woody Allen alguna vez afirmó: "No le temo a la muerte; simplemente prefiero no estar allí cuando suceda". Los grandes humoristas saben que la muerte es el último reto de su profesión. A lo largo de la historia, en todo el mundo los mejores humoristas se han esmerado en enfrentar su momento fatal con sentido del humor. François Villon escribe su *Lais,* su testamento:

Dejo, por Dios, mi ruido
Al maestro Guillermo Villon [...]
Ítem, a la que ya he mencionado [...]
Dejo mi corazón engastado [...]
Ítem, dejo a los hospitales
Mis legañosas telarañas
Y a los enfermos doloridos
Un puñetazo en cada ojo [...][74]

Se cuenta que cuando el escritor Oscar Wilde estaba desahuciado, el médico que lo atendía le presentó la factura; Wilde la leyó con cuidado y se la regresó al doctor diciéndole: "No cabe duda de que muero muy por encima de mis posibilidades". El cómico norteamericano W. C. Fields detestaba la ciudad de Filadelfia al punto de que solicitó que su epitafio dijera: "Prefiero estar aquí que en Filadelfia". Groucho Marx pidió que en su lápida se inscribiera esta frase: "Disculpe usted que no me levante". En una entrevista, Cantinflas declaró que ya tenía pensada la leyenda que adornaría su tumba: "Creen que ya me fui, pero no, aquí estoy".[75]

La cultura funeraria de México —la relación que tienen vastos sectores de la población en México con la muerte— es totalmente atípica dentro del marco de la cultura occidental. Siguiendo tradiciones ancestrales, muchos mexicanos presumen de saber convivir con La Huesuda y festejan el Día de Muertos.

En tono de chunga, *Fantoche* relata cómo, a pesar de su pánico, una viuda le prepara una ofrenda festiva a su difunto:

Mi comadre Dorotea,
Rabiosa, pelona y fea,
Que chismeando no se aploma,
(voy a poner unas comas),
Siente pánico profundo
Por eso del otro mundo
Al que mandó a su marido.
(Pongamos punto y seguido).

Mas la costumbre siguiendo
De Muertos, le estamos viendo
Poner "ofrendas" sencillas.
(Usemos de las "comillas".)
[...]
Se dirigió a la Alameda
llevando mucha moneda,
y a regatear comenzó
(acento sobre la ó.)
Adquirió una calavera
Que tenía su mamadera
Y los ojos como brújula.
(Ésta es una voz esdrújula.)

Compró dulces, frutas, velas,
Colación, flores, cazuelas,
Tafetán, tacos, tapetes,
Tabacos, té, taburetes,
Tortillas, tul, toboganes,
Tejocotes, talismanes,
Tortas, tasajo, turrón,
Tambores, tripas, tizón,
Títeres, tinas, timbeles,
Tortugas, tiros, tamales,
Tachuelas, toros, tornillos,

Tepalcates, trajecillos,
Tres tutti-fruttis, tarjetas,
Teodolitos y tabletas.
(Palabras con muchas tretas.)[76]

Diversos escritores, pensadores y filósofos, desde Ramos hasta Paz, han escrito sobre la relación del mexicano con la muerte, y muchos de los textos clásicos de la literatura mexicana versan sobre este tema: *Pedro Páramo, Muerte sin fin, Algo sobre la muerte del mayor Sabines*. En *El laberinto de la soledad,* Octavio Paz señala que

> Para el habitante de Nueva York, París o Londres, la muerte es la palabra que jamás se pronuncia porque quema los labios. El mexicano, en cambio, la frecuenta, la burla, la acaricia, duerme con ella, la festeja, es uno de sus juguetes favoritos y su amor más permanente. Cierto, en su actitud hay quizá tanto miedo como en la de los otros; mas al menos no se esconde ni la esconde; la contempla cara a cara con impaciencia, desdén o ironía: "si me han de matar mañana, que me maten de una vez" [...]. El mexicano no solamente postula la intrascendencia del morir, sino la del vivir. Nuestras canciones, refranes, fiestas y reflexiones populares manifiestan de una manera inequívoca que la muerte no nos asusta porque "la vida nos ha curado de espantos".[77]

## El que por su gusto muere...

Decenas de refranes populares mexicanos insisten en la idea de que debemos resignarnos a morir. Algunos de estos dichos son reflexiones filosóficas populares cargadas de estoicismo: "Cuando venga la calavera a buscarme, no voy a achicopalarme". Otros refrendan, con humor e ironía, la idea de que tenemos que acostumbrarnos a convivir con la muerte: "El que por su gusto muere, la muerte le sabe dulce"; "El muerto al pozo y el vivo al gozo"; "¿Cómo que se murió si me debía?"; "Nunca se muere dos veces"; "Del suelo no pasas"; "Hay más tiempo que vida"; "Cayendo el muerto, soltando el llanto". En la canción titulada *Cerró sus ojitos Cleto*, Chava Flores hace la crónica de un velorio que degenera en pachanga:

Cleto, el "fufuy" sus ojitos cerró...
Todo el equipo, al morir, entregó...
[...]
El velorio fue un relajo, pura vida,
La peluca y el café... fue con bebida,
Y empezaron con los chistes de color
Para "ir pasando".
Y se hallaron conque Cleto
ya se estaba chamuscando.
Se pusieron a jugar a la baraja
Y la viuda en un "albur"
Perdió la caja.
Y después... por reponer
Hasta el muerto fue a perder
y el velorio se acabó
hombre... no hay que ser...

Al final de la canción nos enteramos de que el cronista, el que canta la pieza, es el que "ganó" la partida y acabó llevándose al muerto a su casa; acabó, valga la paradoja, conviviendo con el muerto:

Tengo en mi casa a Cleto,
y ahora... a dónde lo meto...
pero como ya dijo Luz...
su señora...
murió...
murió...
murió...[78]

Sin embargo, convivir con la muerte no es fácil. En un capítulo memorable de *La Familia Burrón*, de Gabriel Vargas, doña Borola Burrón, el personaje principal de la historieta, no puede dormir tranquila pues ha cobrado conciencia de que bajo su piel está un esqueleto. A Borola le aterra saber que dentro de su cuerpo está la imagen viva de la muerte y termina por obligar a un cirujano a que le extirpe la osamenta. La operación es larga, pero exitosa, y Borola sale del hospital reptando cual vil serpiente. Finalmente, la heroína se da cuenta de que necesita sus huesitos para moverse, los extraña como se extraña a un viejo conocido, pide que se los repongan y es así como se resigna a convivir con su calaca.

Tal como lo enseña doña Borola, para lograr convivir con la muerte es necesario vaciarla de sus contenidos más siniestros y ominosos, cosificarla, convertirla en objeto, o al menos antropomorfizarla, hacerla una figura cotidiana e inofensiva, verla como una vieja conocida.

## La fiesta de los muertos

Los ritos funerarios y el culto a la muerte en estas tierras son ancestrales.

Para muchos pueblos prehispánicos la muerte es parte del ciclo de la vida y en esculturas, bajorrelieves, pinturas y figuras de barro mayas, zapotecas, y sobre todo mexicas, encontramos cientos de imágenes de calaveras.

Tras la conquista española la iglesia impone una visión de la muerte que está sometida al credo religioso católico y que tiene sus propias tradiciones, ritos e iconografía funeraria. En la Nueva España, al igual que en la península, se hacen piras funerarias y se practica el *ars morendi,* un arte funerario en el que abundan imágenes de esqueletos y calacas.

Está documentado que al menos desde el siglo XVIII en las calles de la Ciudad de México se venden artesanías populares y figuras de azúcar con imágenes mortuorias festivas y jocosas.

Uno de los festejos más antiguos de México es el Día de Muertos, que parte de la creencia de que en la noche del primero de noviembre los seres queridos que han fallecido regresan del más allá para departir con los vivos. Esta idea despoja a la imagen de la muerte de muchos de sus contenidos aterradores. Según esta concepción, la calaca no es el enemigo de la vida, sino un ser entrañable que llega a visitarnos; el esqueleto que viene a nuestro encuentro no es necesariamente para llevarnos, bien puede ser un amigo que nos extraña y viene a jugar con nosotros. Finalmente, la noción de que nuestros abuelos, padres, hermanos y compadres muertos vengan a cenar con nosotros nos hace parientes cercanos de muchos esqueletos que son la representación misma de la muerte.

El rito del Día de Muertos explica en gran medida por qué desde los tiempos de la Colonia algunos versos de canciones populares mexicanas tratan a la muerte con la confianza con la que se trata a un pariente, a un viejo amigo de borracheras. Un son de fines del siglo XVIII recoge estas coplas:

Estaba la muerte en cueros
Sentada en un escritorio,
Y su madre le decía,
"¿No tienes frío, demonio?"
[...]
Por aquí pasó la muerte
Poniéndome mala cara;
Y yo, cantando, le dije:
"¡No te apures, alcaparra!"
[...]
Estaba la muerte en cueros,
Sentada en un taburete:
En un lado estaba el pulque
Y, en el otro, el aguardiente.[79]

Algunas canciones hasta se burlan de La Flaca, la critican, le ponen apodos (los mexicanos usan más de cincuenta términos para designar a la muerte: La Dientona, La Madre Tatiana, La Coatacha, La China Hilaria, La Tiznada, La Tilica), platican, bailan con ella y hasta le hacen travesuras, como en este anónimo popular:

Estaba la media muerte
sentada en un taburete;
los muchachos, de traviesos,
le quitaron el bonete.
[...]
Estaba la media muerte
comiéndose su telera;
los muchachos, de traviesos,
le gritamos "¡Calavera!"
Ándale muerte canija
ponte tu rebozo y baila;
ya sé que quieres marearme
y esperas a que me caiga.
[...]
Al pasar por el panteón
me salió una calavera:
tú me tocas el tambor
y yo muevo la cadera.
[...]
¡Ay, triste calaverón!
ya no volará tu fama
porque te van a enterrar
el lunes por la mañana.
—Calavera, vete al monte.
—No, señora, porque espanto.
—Pues a dónde quieres irte.
—Yo, señora, al camposanto.

La figura de la muerte en nuestro país está tan despojada de su carácter siniestro que incluso llega a ser personaje de canciones y rondas infantiles:

Ya te vide-ide-ide
calavera-era-era,
con un diente-ente-ente
y una muela-ela-ela.

Yo te vide-ide-ide
que bailabas-abas-abas
Y los huesos-esos-esos
te sonaban-aban-aban.
Claca, clac, clac, clac, clac, clac...

La calavera ha terminado por convertirse en un personaje tradicional de la cultura popular mexicana, en un ícono de fiesta nacional, en parte del paisaje cultural mexicano, en una figura con la que incluso los niños pueden jugar y bromear. El humor de calaveras es una de las tradiciones humorísticas más originales y sólidas de México.

## La portentosa vida de la muerte

La iconografía novohispana de la muerte es relativamente escasa pero tiene momentos interesantes. Desde el siglo XVIII en estas tierras se publican hojas sueltas con imágenes de calacas, tálamos mortuorios o alegorías fúnebres.

Una de las pocas obras de ficción escritas en la Nueva España es *La portentosa vida de la muerte, Emperatriz de los sepulcros, Vengadora de los agravios del Altísimo y muy señora de la humana naturaleza,* de fray Joaquín Bolaños. Esta obra, de carácter didáctico-moral, fue publicada en 1792 y está ilustrada con 18 grabados en metal ejecutados por Francisco Agüera Bustamante. La obra de Bolaños se inserta claramente en la tradición de algunos libros ilustrados europeos de la Alta Edad Media —como las diferentes versiones de *La danza macabra*— en donde la muerte es retratada como un esqueleto animado, pero con personalidad propia.

En su texto, Bolaños predica que la muerte será más dura para quien no ha vivido con virtud y decoro. A pesar de su intención severa y el carácter adusto del grueso del texto, la obra tiene pasajes cargados de humor negro, como aquel en el que La Parca lamenta el fallecimiento del doctor Rafael Quirino Pimentel de la Mata, un médico al que amaba tiernamente por sus servicios. En el entierro del galeno todos lloran, unos por el difunto y los más por los seres queridos que él había enviado al más allá. El tálamo mortuorio está adornado con poemas y endechas, y en el cuerpo de la pira están escritas unas redondillas, de las cuales citamos estos fragmentos:

Este túmulo elegante
De un médico es, evidente
Que en despachar tanta gente
Con un solo vomitorio
Que Rafael recetaba,
Al enfermo sentenciaba
A penas del purgatorio.
Dolorida se ha mostrado,
La parca, bien resentida,
Pues ha perdido una vida,
Que tantas vidas le ha dado.

Sólo el silencio testigo
Ha de ser de mi tormento,
Pues no cabe lo que siento,
En una ollita de a tlaco:
Este cadáver tan flaco
Fue objeto de mis encantos,
Y fueron sus triunfos tantos,
Que ajustándole la cuenta
Abasteció de osamenta
A todos los camposantos.[80]

Es innegable que el pintar a la muerte como un personaje vivo es una herencia de la tradición europea medieval, pero los grabados de Agüera difieren en el enfoque; mientras los grabados del viejo continente tienen un carácter macabro, siniestro y dramático, los del novohispano poseen un tono más ligero, incluso juguetón. En *La portentosa* vemos una y otra vez a La Parca en situaciones curiosas, divertidas y hasta chuscas. Mercurio López Casillas observa:

*Ilustración de* La portentosa vida de la muerte, *grabado en metal por Francisco Agüera Bustamante.*

El trabajo de Agüera está muy lejos de la idea medieval de la danza macabra. En los grabados, que protagoniza un esqueleto amable de largas extremidades, hay pocas escenas terribles; se trata de una muerte que se comporta como ser humano en situaciones divertidas y cotidianas: es bebé en su cuna, da los primeros pasos de la mano de su abuela, se enamora, contrae nupcias, pelea, se deprime, discute, envejece y agoniza.[81]

La idea de que la muerte se muere es una redundancia y un imposible; es un recurso humorístico que va a ser usado una y otra vez en nuestro país. *La portentosa vida de la muerte* ya presenta elementos básicos de lo que después serán las calaveras mexicanas: la muerte viva manifiesta un claro humor negro y utiliza versos satíricos a guisa de epitafios.

## El arte lapidario de los liberales

En el México independiente, los liberales buscan consolidar un Estado autónomo e independiente y para ello tienen que reafirmar una identidad nacional. En gran parte por eso, los escritores y artistas afiliados al bando liberal cultivan el costumbrismo, una corriente artística que rescata lo propio, lo original, y revalora las manifestaciones culturales populares.

Los orígenes de los ritos del Día de Muertos se remontan a la era prehispánica, pero durante la Colonia y las primeras décadas del México independiente estos festejos se ciñen a las lógicas y la liturgia de la iglesia católica (la fecha en que se celebra, el 2 de noviembre, corresponde al día de los Santos Difuntos). En la segunda mitad del siglo XIX, cuando el Estado liberal le quita a la iglesia el monopolio de los ritos funerarios y los panteones, a partir de que se aplican las Leyes de Reforma, el Día de Muertos toma distancia de la liturgia católica, adquiere un carácter netamente popular y se convierte en una verbena que a su vez se transforma en tradición popular. Los liberales reconocen la importancia de este festejo al que ven

*Ilustración de* La portentosa vida de la muerte, *grabado en metal por Francisco Agüera Bustamante.*

como algo entrañable, como un modelo popular, gozoso y libre de mexicanidad. Guillermo Prieto escribe:

¡Huy!, ¡y qué jolgorios aquellos!
Todos santos, las reliquias
Y un *jervidero* de huesos,
De ángeles y serafines
De los del merito cielo;
Muelas de Santa Poloña,
Y cobijas de Juan Diego,
Pero lo fino y refino
Era llorar a los muertos
Con chito, con barbacoa,
Con cabezas de carnero
Y con un chile borracho
Para chuparse los dedos.[82]

Otro fenómeno político-social que contribuye a enriquecer la tradición del Día de Muertos en México es la prensa liberal. En su lucha por establecer un aparato ideológico propio, los liberales promueven un periodismo en el que cultivan la gráfica popular y la caricatura. Los artistas gráficos del bando liberal dibujan con frecuencia escenas del 2 de noviembre e incorporan a su trabajo elementos de la iconografía popular: calaveras de azúcar, calacas de papel y juguetes.

Así, en el siglo XIX la figura de la calavera evoluciona dentro del periodismo esencialmente en el bando liberal, y su desarrollo gráfico está vinculado a la caricatura política. El 2 de noviembre de 1825 el periodista Luis Espino ilustra su folleto *Barata de empleo consignada a calaveras* con un grabado en el que aparece La Flaca. Desde la década de 1840 aparecen caricaturas donde se ven imágenes de esqueletos y tumbas, y en 1847 unos periodistas afines al bando liberal moderado publican un periódico llamado *El Calavera,* cuyo personaje emblemático es un esqueleto viviente que reflexiona en un tono entre moralizante, melancólico y burlón sobre la situación política del país. En la década de 1860 los periódicos liberales con caricaturas

BARATA DE EMPLEOS,

CONSIGNADA A CALAVERAS

Y MUERTOS DESENTERRADOS.

Todas las almas benditas estarán creyendo á la hora de esta recibir sufragios de sus bienhechores, de aquellos que debian serlo por la unidad en la religion, en el idioma, y aun en el sistema; pero las

*Ilustración del folleto* Barata de empleo consignada a calaveras, *grabado en metal de autor anónimo (posiblemente Montes de Oca).*

publican algunas estampas que juegan con imágenes tradicionales del Día de Muertos, como procesiones, panteones y juguetes populares. El 3 de noviembre de 1869 el periódico *La Orquesta* publica un texto titulado "Un sueño" que parece ser fundacional para la tradición de las calaveras. En este artículo el redactor —seguramente Vicente Riva Palacio— cuenta que una noche próxima al Día de Muertos se durmió meditando en la fragilidad de la existencia humana:

> Soñaba, una cosa muy natural, que soñaba que habían pasado ya muchos años y que nos habíamos muerto todos [...].
>
> Supónganse ustedes que estaba yo de presente en el porvenir y en el cementerio del pasado, que es tanto como el presente del presente [...].
>
> ¡Cuántos mausoleos, y lápidas, y monumentos, y cuántas cosas! dije para mí, a ver cómo nos juzga la posteridad [...].

[Ante un gran sepulcro con dos cajas llenas y otra vacía, el autor lee un letrero dirigido al secretario de Hacienda Matías Romero]:

Aquí el gran Romero,
Sabio financiero,
Viudas y empleados
Dejó disecados
Planes á docenas,
Mas raras quincenas,
Para siempre yace.
RIP

[Al Congreso]:

Este fúnebre ataúd
Contiene todos los huesos
De cinco sabios congresos
Que le dieron la salud
Al país... con sus recesos.[83]

*Caricatura de día de muertos publicada en* La Orquesta, *en 1867. Litografía de Santiago Hernández.*

Hacer lápidas de personajes vivos es un recurso que ha sido utilizado desde la antigüedad para atacar a los poderosos, recordarles que son mortales y restregarles sus vicios y torpezas. Estos epitafios son lapidarios por necesidad pues hacen un balance sintético y mortífero de la vida y obra del criticado. El mensaje es: "Este personaje fue llevado a la tumba por sus errores y será recordado por sus defectos, nunca por sus aciertos; no puede aspirar a gloria alguna ni a descansar en paz".

La importancia del texto de *La Orquesta* es su contexto: está vinculado al festejo del Día de Muertos y esto da pie a que se establezca una tradición periodística popular. El modelo tiene éxito y otras revistas lo retoman. En 1879, *El Máscara* publica una hoja de gran formato en la que aparece un gran panteón donde se leen las lápidas de los políticos del momento. Entre

1885 y 1891 el periodista Ireneo Paz —considerado el más jacobino de su generación— retoma el género y cada año publica en su revista *La Patria Ilustrada* unas hojas adornadas con viñetas de tumbas y calacas en las que hace los epitafios de políticos, damas de sociedad, actores y demás personajes de su tiempo:

**Manuel Gutiérrez Nájera**

Tuvo muy buenas estrellas
Que alumbraron su camino
Y dio su laúd divino
A los grandes y a las bellas.

[Bajo una imagen que muestra a un diablo asustando a los curas con su trinche]

Con todo y principios chochos,
Entre culebras y cuernos,
Aquí yace en los infiernos
El partido de los mochos.[84]

Estos epitafios son la base del género de las calaveras: constituye una de las tradiciones humorísticas y periodísticas más originales y perdurables de México.

## Calaveras del pueblo llano

A finales del siglo XIX el hábito de la lectura en México crece de manera considerable y aparecen fenómenos editoriales nuevos: los periódicos obreros de a centavo y las hojas volantes que dan servicio a un público modesto y humilde de artesanos y asalariados. Estos papeles se dirigen a un público apenas alfabetizado o semianalfabeta que acoge mejor los textos ilustrados; así, pronto se establece un mercado, modestísimo, en el que trabajan algunos grabadores populares como Manuel Alfonso Manilla y

*Portadilla de un número de muertos de* La Patria Ilustrada. *Litografía de autor anónimo.*

José Guadalupe Posada. Siguiendo el modelo de las revistas más prestigiosas de la época, como *La Patria Ilustrada*, estos dibujantes trazan imágenes que reflejan las fantasías y aspiraciones de sus lectores y realizan crónicas gráficas populares.

A fines de octubre de 1893 el periódico *El Fandango*, dirigido por Aurelio Reyes e ilustrado por José Guadalupe Posada, anuncia la publicación de *La calavera de El Fandango*, y denuncia que se le ha adelantado un imitador:

> Aun cuando ha salido á luz una hoja suelta en papel de color que quiere darle cierto parecido a nuestra publicación por sus grabados, nos apresuramos á manifestar al público que nada tiene que ver nuestra redacción con la mencionada hoja que principia así:
>
> Gran fandango y francachela
> De vivos y calaveras
> En el panteón de Dolores
> Con música y borrachera.[85]

Es posible que *La calavera de El Fandango* y su imitadora sean las primeras hojas de calaveras propiamente dichas; sin embargo, esta hipótesis necesita ser comprobada. En su edición regular *El Fandango* señala que su hoja especial del Día de Muertos está hecha con versos escritos por obreros y señala que la abundancia del material obligó a posponer la edición.[86] Los poemas están dirigidos a personajes que el público de *El Fandango* conoce bien, desde capataces hasta compañeros de trabajo:

> No te enojes lector
> si en "El Fandango",
> Llegas á ver
> ó á vislumbrar tu nombre,
> Pues al cabo si te tienes
> por muy hombre
> *Pa'* nosotros es lo mismo
> que en Durango.[87]

*Calaveras de Posada.*

El más fregado de los pobres tiene tanto derecho a la risa como el más encumbrado de los poderosos; del mismo modo, también tiene derecho a que le hagan un entierro digno y una calavera bien versada. Del periódico *El Fandango* tomamos esta:

### A un cilindrero

Ora es tiempo de escoger,
Muchachos de la gallera,
Ahí les va la petenera
Que acabo de componer.
Antes de dejar el mundo
Me quiero fumar un moto
A ver si así me alboroto
Y toco un bajo profundo.
Quiero ver a mi trigueña
Y embarcarme *pa'* La Habana,
Y ofertarle marihuana
A ver si no me desgreña [...]
Quiero abrazar a mi cuero,
Morir como Juan Tenorio
Pasar por el purgatorio
Y en la cárcel verlos quiero....[88]

En estas calaveras el pueblo se vuelve calaca y esto contribuye a establecer a La Huesuda como una figura netamente popular; la osamenta iguala a todos, se ven retratados en ella y esto la convierte en un arquetipo en el que se reconocen. Al igual que doña Borola, todos llevamos adentro una calaca.

## José Guadalupe Posada

La aportación de Manilla y de Posada al género de las calaveras es fundamental. A principios de la década de 1890, Manuel Alfonso Manilla es el grabador popular con más prestigio y el primer ilustrador que dibuja calaveras para el bajo pueblo; sin embargo, su trabajo es pronto desplazado por el de José Guadalupe Posada. Este artista talentoso y preparado es un maestro en su oficio y un extraordinario cronista gráfico que pone su arte al servicio de un público vasto y pobre. Gracias a esto, el grabador interpreta con maestría los gustos y fantasías de su clientela y en sus dibujos de calaveras termina por construir un universo artístico y humorístico rico y complejo: un inframundo de calacas que se parece muchísimo al inframundo de la sociedad porfiriana de su tiempo. Desde sus primeros trabajos la muerte es una figura importante para Posada. En su primer dibujo conocido, publicado en *El Jicote* de Aguascalientes, aparece la figura minúscula de un esqueleto representando una plaga. En los años de 1889 y 1891, Posada trabaja para *La Patria Ilustrada* donde ejecuta, bajo la dirección de Ireneo Paz, lo que parecen ser sus primeras calaveras. Después, el artista abre su propio taller a la vez que trabaja para las imprentas de Antonio Vanegas Arroyo, Montes de Oca y periódicos obreros de a centavo como *El Fandango*, donde realiza, entre otras cosas, calacas populares. En las calaveras que hace para Vanegas Arroyo y que circulan profusamente como hojas volantes, Posada realiza la más viva crónica gráfica del pueblo mexicano. No hay personaje que escape a su pluma descarnada, ni el político del momento ni el más humilde artesano. Desde el político más poderoso hasta el limosnero, desde el peladito hasta el catrín y la catrina, lo mismo Juan que Juana, todo mundo se ve convertido en calavera:

Calaveras son los Juanes
Por flojos y correlones,
Mentecatos los Ramones,
Botaratos los Julianes
Y necios los Sebastianes.
Los Prudencios muy groseros,
Muy salados los Severos,
Los Luises en sus tonteras
Dicen que son tracaleros
Hasta rancias calaveras.
Calaveras son las Juanas
Revoltosas y habladoras,
Pedigüeñas las Teodoras,
Traidoras las Victorianas,
Algo brujas las Marianas,
Las Tomasas y Agustinas

*Portada de* La Patria Ilustrada *por Posada.*

Yo detesto a las indinas,
Son perdidas alhajitas,
Las sarnosas Zeferinas
Todas son calaveritas.[89]

Como la muerte jala parejo, en la obra de Posada el mundo de los muertos es casi una utopía igualitaria:

Será una gran novedad
Que nivele grande y chico,
No habrá ni pobre ni rico
En aquella sociedad.
[...]
Todos estarán unidos,
Todos serán calaveras.
[...]
Los sastres y los cocheros,
Los soldados, los pulqueros,
Albañiles y estudiantes.
Ingenieros y cantores,
Dependientes y modistas,
Carretoneros y artistas,
Lavanderos y pintores.
Hasta el pobre borrachín [...][90]

El universo de las calaveras de Posada en un inframundo gozoso de calacas llenas de vida, es un arquetipo humorístico a la vez universal y profundamente mexicano. No en vano André Breton declara al grabador "inventor del humor negro en las artes visuales".[91]

## Ícono nacional

El universo de las calaveras tiene en Posada a un gran maestro, pero ha sido cultivado durante más de un siglo por cientos de artistas y por vastos sectores de la población de manera

EL FANDANGO 3

MARIANO HOURCADE

Muy crudo y en un petate,
Como se lo cuento á usté,
Gritaba á la *Bu Chanté*
Al tomar su chocolate.
Era ristota dialtiro
Y al morir ¡quién lo creyera!
Lanzó su postrer suspiro
Por Ignacia la Ranchera.
Los muchachos papeleros
Que querían á este señor,
Gritaban desde Meleros;
Murió el "Mero Valedor."
Descanse en paz el amigo,
El que supo agradecer,
Sin comprender que un deber
Nos obliga á ser sinceros.

FERNANDO LOPEZ ACEVEDO

Dejó la lira ya en paz
El poeta de los recortes,
Y dado hoy á Barrabás,
Con un chorro de reporters,
Sóla escucha por dó vá
Al ave que alegre trina,
Y que le recuerda.... ¡ya!
El plagio: "A una golondrina."
Por eso aquí yace triste
Con su "güitarra" colgada,
El vate del chiquihuite,
El héroe de la plagiada,
El que nunca tuvo chiste
Ni con la poesía robada.

**Huesos Apolillados**

PABLO MARTINEZ.

En este panteón bendito
Que se pierde en los confines,
Reposa Pablo Martínez
En union de su kiosquito.
Murió al escuchar el grito
De un acuache papelero
Que con entusiasmo entero
Dijo: No son alverjones,
"Fandango" écheme montones
Cualquier otro no lo quiero.

AL COBRADOR DEL MERCADO DE.... YA SABEMOS DONDE.

Un jóven muy bien parado,
Apuesto, chulo, bizarro
Era Don Juan "El catarro,"
El cobrador del mercado.
Maltrataba á los puesteros,
A las viejas recauderas,
Y al morir, sus chaparreras
Le obsequiaron los fruteros.
De charro se fué al panteón
Exhalando hondo suspiro,
Ay Dios que ya me restiro
Y.... zás de un arrempujón.
Y al morir, en el cajón
Dijo enorme maldición
Ah que boca de señor,
Se le volvió chicharrón.

DON LINO NAVA.

Gordito como un barril,
Rechonchito cual rorrito,
Hermoso y rechiquitito
Era el jóven alguacil.
Guardaba con gran primor
La oficina de correos,
Y un día con los macabeos
La emprendió pal interior.
Quién lo vió por Guanajuato,
Quién al pasar por Chihuahua,
Quién tomando un vaso de agua
Mezclada con carbonato.
Por donde quiera lo vieron,
Más ninguno lo agarró,
Ah que gente tengo yo,
Que con Don Lino no dieron.
Al irse dejó un recuerdo
Que causó gran devaneo
Si la memoria no pierdo,
Fué el desfalco del correo.
Faltaron timbres, dinero,
Tarjetas y hasta dos tinas,
Unas puertas retefinas
Y una bolsota de cuero.
La gente gritaba brava
Al ver morir á Don Lino:
Que se muera, oh cruel destino,
El barrigoncito Nava.
Y al hacer los funerales,
A Belén fueron nomás,
Los empleados del correo
Sea por Dios y venga más.

EL FERROCARRIL DEL VALLE

A UN EMPLEADO.

Vas y vienes sin cesar,
Atraviesas por do quiera,
Con un *jóven* disque es Czar
De la empresa ¡qué tontera!
Y es valiente y fanfarrón,
Por Dios, yo no lo sabía,
Con razón, si fué mandón
O empleado de una alcaidía.
Por eso aquí yace ufano
El vale de las orejas,
Con su sombrero jarano
Enamorando á las viejas.
En paz descanse el osario
Ya que le tocó el morir,
Por Dios no vuelva á decir
Palabras de presidario.

F. ECHEVERRIA.

Don Francisco Echeverría,
Hombre digno, hombre decente,
Amable, condescendiente,
Generoso sin igual,
Quiso la parca llevárselo
Y su clientela, ¡qué suerte!
Ya lamentaba su muerte
Y lloraba sin cesar!
Al ver á un hombre tan noble
Zambutido en un costal.

ZACATECAS.

En uno de nuestros próximos números publicaremos en EL FANDANGO, la letra de la popular marcha "Zacatecas," cuya composición (el verso) se debe á la bien cortada pluma del jóven é inspirado vate Fernando Celada, y la cual ha sido dedicada, á nombre de Juan del Jarro, á los inteligentes obreros y obreras de la fábrica de hilados y tejidos de San Fernando, establecida en Tlalpam, personas dignas por mil títulos del aprecio y respeto de nuestra redacción.

*Calacas de Posada para el periódico* El Fandango.

colectiva en lo que constituye una manifestación masiva de humor negro.

En su ensayo *Idea de la muerte en México,* el antropólogo Claudio Lomnitz plantea que la figura de la muerte se ha convertido en una suerte de tótem mexicano, en un ícono tan fuerte como la imagen de Benito Juárez o la Virgen de Guadalupe. A lo largo del siglo XX todos los años, alrededor del 2 de noviembre, decenas de revistas y periódicos publican páginas de calaveras en las que vemos el rostro descarnado de políticos, artistas, actores y personajes populares.

En 1911, el periódico *Gil Blas* publica un suplemento de calaveras donde le dedican esta parodia del *Tenorio* de Zorrilla a don Francisco I. Madero:

No os podéis quejar de mí
Vosotros a quien salvé;
Si mal gobierno os quité,
Un peor gobierno os di.

En 1929, bajo una caricatura de Diego Rivera ejecutada por Ernesto García Cabral, la revista *Fantoche* publica estos versos, atribuibles a Manuel Horta:

Este pintor eminente
Cultivador del "feísmo",
Se murió instantáneamente
Cuando se pintó a sí mismo.[92]

La revista *Karicato* publica en 1933 una serie de calaveras; entre ellas, esta dirigida al Dr. Atl:

Me cuentan que loco estaba.
Francamente, no lo dudo,
pues su nombre lo encerraba
el vuelo de un estornudo.
Cuando a Krishnamurti oyó,
furioso se suicidó.[93]

1o. de noviembre de 1929 — 11

**TATA NACHO**

En Sevilla le encontré
Ojeroso y moribundo...
—¿Por qué te vas de este mundo?
—¡Viejo, porque me bañé!...

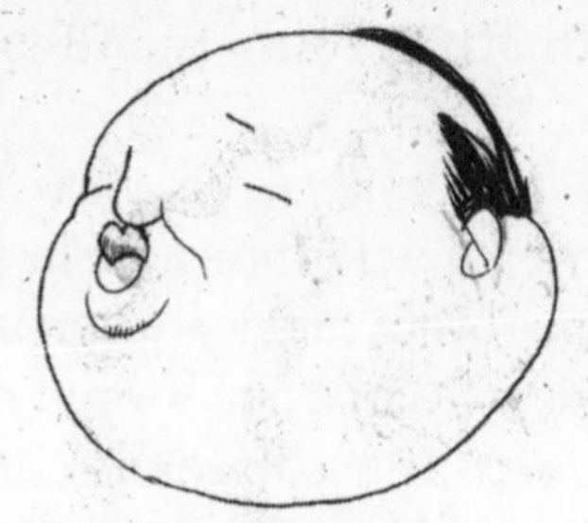

**DR. TORRE DIAZ**

Hubo un problema rotundo
para enterrar al doctor...
¡No había un cajón en el mundo
para el gran Gobernador!

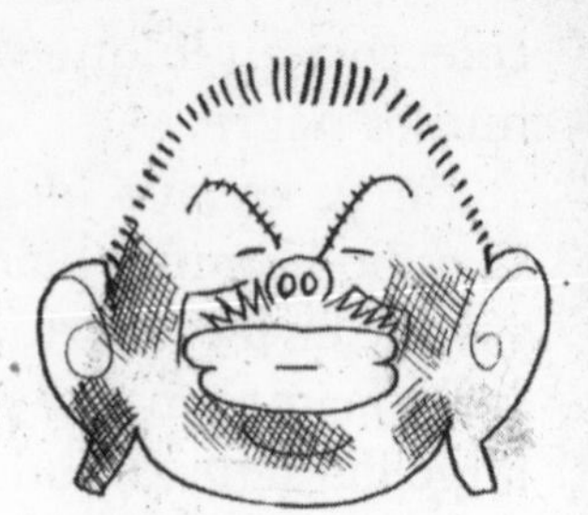

**JULIAN CARRILLO**

Cuando iba a inventar el 20
sonido de su pianola
se nos "peló" de repente
el compositor "huichola"

a grandes saltos brincar,
con un ruido misterioso,
según ella cavernoso,
causante para desgracia
de que se hiciera una "gracia"...
(Aquí puntos suspensivos
que son significativos...)

Dorotea cae sin sentido;
piensa, ¡horror! que es su marido,
a quien dicen que mató
de una tunda que le dió.
(Monosilábica en ó).

¿Mas es que quieren en serio,
enterarse del misterio?

Os lo voy a revelar
y os vais a carcajear:

Al aspirar los olores
se llegaron cien roedores
que, dándose un buen banquete,
abrieron grande boquete
en la inmensa calavera,
que, dizque de queso era
y que en una ratonera
sin querer se convirtió;
porque una rata que entró
en el agujero aquel,
quedóse apresada en él
y tratando de salir,
sin poderlo conseguir,
dentro de la calavera
rodaba hasta la escalera,
de la que después volvía
con misterio que imponía
(Esto contáronme a mí.)
(Un paréntesis aquí.)
Del susto que se llevó
Dorotea se petateó.
Y dicen que allá, al marido
apaleándolo ha seguido."

Ya véis que, ni en la otra vida,
su mujercita lo olvida.

¿Queréis más felicidad
de esa su cara mitad?

La verdad, que yo prefiero
que me olviden si me muero.

Y como es cuestión mortal,
pongamos punto final.

---

CISCO:
No sé en ruso lo que es
y lo ignoro en japonés.
En chino, ¡bah!, ¡ni lo toco!,
pero lo que es en inglés
o en esperanto... ¡tampoco!

Hugo ENRIQUEZ B.

**ERNESTO FINANCE**

Siseado en una función;
Apedreado en duro trance,
falleció de inanición
el gran amigo Finance.

**DIEGO RIVERA**

Este pintor eminente
cultivador del "feísmo",
se murió instantaneamente
cuando se pintó a sí mismo.

**EL DR. CERVERA**

¿Por qué ostenta gran bigote
esta ilustre calavera?
Porque el pelo fué un azote
para el Gran Doctor Cervera.

*Página de un número de calaveras de la revista* Fantoche *con viñetas de García Cabral.*

Son notables los números de calaveras del Taller de la Gráfica Popular (TGP) donde dibujan, entre muchos otros artistas, Leopoldo Méndez, Alfredo Zalce, José Chávez Morado y Alberto Beltrán, y escriben poetas y periodistas como Efraín Huerta, Renato Leduc, Juan de la Cabada, Luis Córdoba o Cué Cánovas. Las calaveras del TGP tienen un sesgo político militante y están dedicadas tanto a figuras nacionales (Plutarco Elías Calles, Luis N. Morones, Miguel Alemán, Diego Rivera, los acaparadores y los rentistas) como internacionales (Hitler, Mussolini, Franco o McArthur). Las calacas del TGP suelen ser mordaces, como ésta, dedicada a Cantinflas:

Me llamé Mario Moreno
Y *Cantinflas* me apodaron;
Era cómico muy bueno,
Según me lo aseguraron,
Pero me volví... veneno.
Degeneré en mercancía
Toda mi gracia perdía,
Y Yago Reachi reía
Ebrio toda la semana.
(Versos de Rafa Solana)[94]

Es notable el texto titulado *Don Juan Velorio* (que también parodia al *Tenorio)* escrito por Carlos Monsiváis e ilustrado por los moneros del diario *La Jornada*, el 2 de noviembre de 1987:

Don Juan, Don Juan, no hay que ser
No insistas en el pasado.
No hay nada tan desahuciado
Como la moda de antier.
Lo que nos conviene hacer
Es ampliar el repertorio,
Modernizar el velorio
Para el público atraer.

*Anónimo, Calaveras del* TGP *(detalle).*

El universo de las calaveras se renueva constantemente, pero el género sigue siendo netamente popular y el grueso de los versos que se publican en los diarios son obra de espontáneos. Día con día, la gente inventa chistes, bromas, cuentos y canciones que juegan con la idea de que el universo de los muertos vivientes es un mundo de humor negro que corre paralelo a la vida. El descarrilamiento de un tren provoca cientos de heridos, decenas de muertos y un corrido notable de autor anónimo:

Fue por el año cuarenta,
Cerca del cincuenta y cuatro,
Cuando murió tanta gente
Entre Puebla y Apizaco.
El tren que corría
Por el ancha vía,
De pronto se fue a estrellar
Contra un aeroplano
Que andaba en el llano,
Volando sin descansar.
Quedó el maquinista
Con las tripas fuera
Mirando *pal'* aviador
Que ya sin cabeza,
Buscaba un sombrero
Para librarse del sol.
Los pocos supervivientes
Los contemplaban llorando
Y la máquina seguía
Pita, pita y caminando.

Llegó la Cruz Roja,
Llegó la Cruz Verde
Y a auxiliar a los heridos
Y allí se encontraron
Que todos los muertos
De miedo ya habían corrido.
Estos cadáveres salieron huyendo

Y en tan críticos instantes
Que ha habido difunto
Que lo han encontrado
Cuatro leguas adelante.
En una zanja, los muertos
Solos se fueron echando
Y la máquina seguía
Pita, pita y caminando [...]

Este mundo de muertos vivientes en el que los esqueletos temen morir, la calaca de una vieja viuda se acicala para verse joven y bella, el descabezado busca un sombrero, los cadáveres huyen despavoridos del lugar de la tragedia, es un modelo perfecto del mundo al revés.

## Las calaveras, modelo del mundo al revés

Desde la antigüedad el invertir los roles establecidos es un mecanismo clásico del humor que se asocia a ritos más o menos paganos: en las *ityphallias,* fiestas agrícolas relacionadas con la fertilidad, los jóvenes atenienses se embriagaban e insultaban a los ciudadanos respetables; en las fiestas saturnales romanas los esclavos daban órdenes a sus amos; en el carnaval medieval el hombre más feo es el rey del que todas se enamoran, el carro jala al buey, los bribones sermonean a los curas y la muerte se da la gran vida. Desde la antigüedad, el tema del mundo al revés es también uno de los mecanismos más socorridos de la literatura humorística: Virgilio hace a los lobos huir de las ovejas; el capítulo más divertido de Pantagruel es aquel en el que llegan a un reino donde todo está invertido; uno de los pasajes más notables de *El Quijote* es cuando el necio de Sancho Panza da muestras de gran sabiduría al gobernar su ínsula; el momento más divertido de *El sueño de una noche de verano* de Shakespeare ocurre cuando Titania, la hermosa reina de las hadas, se enamora de Botton, un tejedor que tiene la cabeza de un asno.

Uno de los temas clásicos de la imaginería humorística, y tal vez el arquetipo más utilizado en el dibujo de humor, es también el del mundo al revés: el universo en el que los patos le tiran a las escopetas, donde las culebras tienen chichis y donde los sabios dicen necedades. Según el ensayista francés Michel Melot, "la sinrazón y lo irracional encuentran en este procedimiento de inversión su perfecta ilustración".[95]

Los universos del mundo al revés son frágiles pues dependen de qué tan firmemente estén establecidos entre nosotros ciertos códigos de valores: después de la revolución feminista ya no mueve a risa que los hombres vayan al mercado mientras las mujeres se van a trabajar. Los mundos al revés sólo son universos humorísticos perdurables en la medida en que tocan valores inamovibles; es el caso de la dualidad entre la vida y la muerte.

La muerte es una realidad tan dura e inevitable que la mayoría de las sociedades la enfrentan por medio de la negación y terminan por alimentar la fantasía de una vida después de la muerte: paraísos póstumos, reencarnaciones o universos paralelos. Las comunidades crean rituales que les ayudan a comprender, enfrentar y resignarse al final de la vida. El universo de las calaveras mexicanas donde los vivos están muertos y las calacas cobran vida, es un modelo perfecto y sólido de un mundo al revés.

La dicotomía entre la vida y la muerte es profunda y muchos versificadores y poetas mexicanos están conscientes de ello, tal como lo demuestran estos versos populares publicados en *El Fandango* en 1894:

Siempre he notado y he visto
Que en mi México adorado,
Todo lo volvemos bola,
Todo lo volvemos farsa:
Si vamos a un baile, risa;
Si al ver un cadáver, guasa;
Y es que sin duda que creemos
Aunque sin razón fundada,

Que la vida y que la muerte
Perfectamente contrarias
Son igual, la misma cosa
Con variación de palabras.[96]

En *El laberinto de la soledad,* Octavio Paz afirma que para los antiguos mexicanos la oposición entre muerte y vida no era tan absoluta como para nosotros. La vida se prolongaba en la muerte. Y a la inversa, y concluye que la muerte mexicana no es más que el espejo de la vida del mexicano.

En México, burlarse del dolor, de la muerte y de los muertos es una tradición humorística muy arraigada, entre otras cosas porque encaja maravillosamente con su historia violenta y con la cultura machista que imperó durante siglos en el país.

# capítulo tres
# ¡A ver si de veras son tan machos!

## *Sólo me duele cuando me río*

En México, un tipo llega al hospital con una herida profunda en el abdomen; cuando el médico le pregunta: "¿Le duele?", el lesionado responde: "Sólo cuando me río". Esta conocida historia es más común de lo que se podría pensar. De hecho, varios médicos cuentan anécdotas similares:

> Llegó a la sala de emergencias un tipo con la panza rajada; traía las tripas en el sombrero. Mientras era atendido, un agente del Ministerio Público le preguntó una y otra vez quién lo había acuchillado, y una y otra vez el herido se negó a denunciar a su agresor. Días después, cuando estaba fuera de peligro, el doctor le preguntó a su paciente por qué se había negado a dar el nombre de su atacante; el convaleciente, ya en confianza, confesó: "Porque nomás que salga, me lo voy a echar".

Los machos tienen ideas muy peculiares sobre el humor; se hacen bromas muy pesadas entre ellos. En la película *A toda máquina,* Pedro Infante y Luis Aguilar interpretan a dos policías motorizados que mantienen una rivalidad agresiva que raya en el desafío mortal y termina en un aparatoso accidente. En la escena final de la cinta, los dos motociclistas, heridos de gravedad y con severas quemaduras, son llevados de urgencia a un hospital. En la ambulancia, Pedro Infante le pregunta al médico que los acompaña: "¿Qué tengo en el estómago, doctor?".

El médico responde: "Un fierro de la moto. ¿Le duele?". Pedro responde: "Nomás cuando me río". Entonces su amigo Luis interviene, cizañoso: "Entonces voy a contarle chistes [para que le duela]". A lo que a Pedro no le queda más que decir: "Qué desgraciado". La escena culmina con una declaración amorosa de amistad entre machos.

Según el *Diccionario del Español Usual en México*, el "machismo" es la "actitud del hombre que considera que el sexo masculino es naturalmente superior al femenino y la manifiesta con prepotencia, a la vez que con paternalismo hacia las mujeres, así como con demostraciones de fuerza y virilidad". Esta definición del machismo, como muchas otras, presenta lagunas: el machismo no sólo es una actitud del hombre, también implica actitudes de la mujer y de la sociedad en muchos aspectos. El tema es complejo y en todo el mundo ha sido motivo de ríspidos debates desde tiempos inmemoriales. La lucha contra el machismo está en el centro del movimiento feminista mundial que lucha por la igualdad de la mujer; este movimiento crece y se arraiga en México desde los años sesenta.

En términos muy generales se puede decir que el machismo es una forma de vivir el patriarcado, esa manera de organización familiar basada en la autoridad del padre, del varón dominante del grupo. La cultura patriarcal está muy arraigada en muchas sociedades a lo largo y ancho del planeta, y a pesar de que en cada región asume características específicas, también tiene muchos elementos comunes, por lo que con frecuencia resulta muy difícil distinguir el machismo mexicano del español o del estadunidense (por mencionar algunos).

En México, durante siglos el machismo fue un valor incuestionado al punto que llegó a ser considerado parte fundamental de la identidad e idiosincrasia nacionales. Por mucho tiempo (por lo menos a finales del siglo XIX y durante buena parte del XX), los machos mexicanos se han jactado de ser "los más machos del mundo". El ídolo Jorge Negrete interpreta, con sentimiento patrio, la conocida canción de Manuel Esperón, *El mexicano*, que afirma:

Yo soy mexicano, mi tierra es bravía,
palabra de macho que no hay otra tierra
más linda y más brava que la tierra mía.
Yo soy mexicano y a orgullo lo tengo.
nací despreciando la vida y la muerte
y si echo bravata también la sostengo.
Mi orgullo es ser charro, valiente y bragado,
traer mi sombrero de plata bordado
que nadie me diga que soy un rajado.

A principios del siglo XXI el tema del machismo es muy controversial: para un vasto sector sigue siendo motivo de orgullo patrio y para otro (más pequeño pero influyente, que ha sido sensible a las críticas feministas) motivo de vergüenza colectiva.

En su indispensable *Crónica de aspectos, aspersiones, cambios, arquetipos y estereotipos de la masculinidad,* Carlos Monsiváis asienta:

> En el caso de México, el análisis de *la masculinidad* pasa necesariamente por su vertiente más estentórea, el machismo, sucesiva y simultáneamente la obligación inevitable, el orgullo nacional, la exigencia de la vida en común, el espectáculo autoparódico, la pesadilla familiar, el peligro social, la sucesión de abismos del impulso [...].[97]

Para Monsiváis el machismo en México tiene muchas funciones, entre otras: "proclama la autoridad de conductas sustentadas en la tradición"; "teatraliza y lleva al límite los prejuicios del patriarcado"; "exhibe la debilidad comprobable de sus víctimas, y el peso de las instituciones que lo apoyan"; "encabeza el linchamiento social"; "es la revaloración violenta y (siempre) melodramática del ideario de la supremacía masculina", y "es la reelaboración de costumbres feudales y parafeudales fundamentadas en una ideología de cartón y piedra".[98]

El machismo mexicano marca la cultura del país en casi todos los niveles, y esto incluye el humor. La cultura machista está íntimamente relacionada con el humor negro que se cultiva en México y con el universo de las calaveras sonrientes; sin embargo, no todo nuestro humor macabro y funerario es un subproducto de la cultura machista: también está vinculado, como ya se ha visto, a una visión ancestral sobre la vida y la muerte; además, existen muchas otras manifestaciones del humor nacional que están ligadas a la cultura patriarcal.

En teoría, el macho nunca pierde el control y menos sobre su persona. Según el arquetipo clásico, los hombres de verdad sólo lloran o muestran sus debilidades cuando están borrachos; en principio no le temen a la muerte y cuando están heridos sólo muestran dolor cuando ríen. Por estas y otras razones, el macho maneja una cultura humorística propia que vale la pena analizar.

## Entre bromas pesadas y delitos varios

Así como controla su dolor, el macho debe controlar todo lo demás: imponer su voluntad, sus normas y protocolos en todo momento y acontecimiento. El dibujante Patricio Ortiz creó el personaje de *Hombre-man*, el hombre-hombre, el macho-macho, un vigilante tercermundista, un superhéroe de caricatura cuya eficacia reside en no respetar las reglas establecidas e imponer su propia ley.

El machismo nacional sigue las lógicas universales del patriarcado, las interpreta a su manera. Según el ideal machista mexicano, manifestado en cientos de novelas, películas y chistes, el que de veras es hombre nunca pierde, y cuando pierde arrebata; puede hacer lo que le venga en gana, incluso locuras o atrocidades dictadas por sus fuerzas internas más oscuras, que al fin y al cabo "para eso es hombre". Claro está que, en un mundo en el que cada quien impone su ley, termina por no haber reglas y todo es arbitrario. En *El laberinto de la soledad,* Octavio Paz escribe:

Hombre-Man. *Historieta de Patricio Ortiz publicada en* Milenio Diario.

La arbitrariedad añade un elemento imprevisto a la figura del "macho". Es un humorista. Sus bromas son enormes, descomunales y desembocan siempre en el absurdo. Es conocida la anécdota de aquel que, para "curar" el dolor de cabeza de un compañero de juerga, le vació la pistola en el cráneo. Cierto o no, el suceso revela con qué inexorable rigor la lógica de lo absurdo se introduce en la vida. El "macho" hace "chingaderas", es decir, actos imprevistos y que producen el horror, la muerte, la destrucción. Abre al mundo; al abrirlo lo desgarra. El desgarramiento provoca una gran risa siniestra. A su manera es justo: restablece el equilibrio, pone las cosas en su sitio, esto es, las reduce al polvo, a la nada. El humorismo del "macho" es un acto de venganza.[99]

Esta arbitrariedad machista no es exclusiva de México sino que es común a casi todas las culturas patriarcales. Tal vez lo más notable del machismo mexicano es que, según varios autores, se confunde con rasgos de identidad nacional y por lo tanto goza de un prestigio y una aprobación social que no es frecuente ver en otras latitudes.

El impulso humorístico del macho es terrible, es como una venganza contra el mundo; con frecuencia, sus chingaderas causan más terror que gracia a propios y extraños; su humor surge de bravatas o pretensiones que tienen un origen tan íntimo que resulta incomprensible para los demás; sus reacciones no conocen medida, y por eso son ridículas; su comicidad es resultado de la desmesura que atropella a todos, y con frecuencia es difícil distinguir un chiste suyo de un acto criminal.

Se cuenta que después de una batalla, Pancho Villa telegrafió a don Francisco I. Madero: "Hice 20 prisioneros. Los fusilé provisionalmente. Dígame qué hago con ellos". A lo que Madero sólo pudo responder: "Entiérrelos". El escritor Renato Leduc, que fue telegrafista de Francisco Villa, recoge esta anécdota de los tiempos de la Revolución:

Y para mostrar lo poco que la vida valía en México, por aquellos días, el mayor Vallejo relata esta anécdota: "Un tal Pablo Seáñez pidió a Urbina un automóvil que teníamos ahí para llevar a una mujer a ver al médico, a una población cercana. Montamos en el auto, Pablo, la mujer [el periodista John] Reed y yo. Al llegar a un arroyo, el carro se atoró. Pablo, que era un matón, sacó la pistola y gritó que para aligerar el sobrecargado vehículo había que matar a Reed. Lo convencí de que guardara su pistola mientras Reed bajaba del carro y se ponía a empujarlo. El auto comenzó a caminar y Seáñez, riendo, dijo: "Bueno, ahora llevamos un caballo de más".

Una pesada broma de Seáñez, sin duda.[100]

Guillermo Rubio, quien trabajó durante años como judicial, escribe una novela, *Pasito Tun Tun,* en la que recrea el ambiente machista que priva en la policía mexicana. En la novela de Rubio, un judicial es ametrallado alevosamente; recibe treinta y cuatro tiros de calibre 7.62 en el tórax; un colega y amigo de la infancia del difunto, el comandante Canuto Corella Bowie, alias *El Yaqui,* se dispone a hacerle un entierro digno, pero el cadáver requiere atención especial de expertos en la materia:

> En ese lugar los especialistas, un par de ya viejos hermanos que trabajaban para la mejor funeraria de Culiacán, se esmeraban en dejar presentables a los ametrallados. Cuando Canuto se presentó con el agente se negaron a trabajar en el cuerpo, alegaban que su oficio sólo era posible cuando contaban con la carne necesaria, salvo la cara que estaba casi intacta a pesar de tener tres impactos [...].
>
> Canuto resolvió el problema: mandó a su hombre de confianza a comprar un cadáver en el Semefo. Diego escuchó la orden con naturalidad. Al darse media vuelta el comandante le llamó de nuevo.
>
> —Si no lo consigues rápido, vas y matas a un cabrón del vuelo de mi compa, de un tiro te lo echas [...].
>
> Diego llegó con el cuerpo de reemplazo en menos de una hora. Canuto le preguntó si había ido al Semefo (Servicio Médico Forense), Diego contestó que le había dado flojera; los dos estallaron en risas.[101]

Este regocijo sangriento es típico de la cultura machista más brutal. En la lógica machista, el solo hecho de ser el hombre dominante, el líder de la manada, da muchos derechos, incluso sobre la vida y la muerte de los demás; él puede sacrificar a quien quiera y cuando quiera. En la lógica machista primitiva, la risa está ligada al sacrificio porque es un ejercicio de poder; el macho que se respeta ejerce el poder y debe ejercerlo con placer, debe someter y matar con gusto, disfrutar sus chingaderas. En *La magia de la risa,* Octavio Paz escribe:

> La relación entre la risa y el sacrificio es tan antigua como el rito mismo. La violencia sangrante de bacanales y saturnales se acompañaba casi siempre de gritos y grandes risotadas. La risa sacude al universo, lo pone fuera de sí, revela sus entrañas. La risa terrible es manifestación divina.[102]

Esta actitud explica que en los separos un torturador se burle del torturado, o que los granaderos de Atenco se rían mientras violan tumultuariamente a una mujer indefensa. La risa del macho es terrible; revela sus impulsos más oscuros, sus entrañas. Por eso, cuando trae las vísceras al aire, al reírse, le duele.

Estas manifestaciones de humor machista no son sutiles ni refinadas sino terribles y directas; para hacer valer sus caprichos, el macho ve con ligereza y distancia burlona la vida de los demás: al judicial no le importa matar a un cristiano con tal de que su amigo luzca bien en el entierro; a Seáñez no le importa amenazar de muerte a un amigo con tal de que saque el coche de un atolladero. Sólo los muy hombres, o sus muy cuates, pueden distinguir cuándo un macho está haciendo una broma pesada y cuándo una chingadera o un acto de lesa humanidad. Para el macho, virilidad es sinónimo de valentía, de fuerza, de estoicismo, de aguante y, sobre todo, de poder. Cuentan que en 1915 en Ciudad Camargo una mujer increpó a Villa por haber fusilado a su marido: "¿Por qué no me matas a mí también?", ante lo que Villa sacó la pistola y la mató. ¿Fue éste un acto de autoridad o una humorada siniestra del caudillo? ¿La mató por "darle gusto" o "*pa'* que aprenda"?

Tal vez nunca lleguemos a saber si los machos se ríen de sus atrocidades o si hacen travesuras sangrientas para divertirse, pero la mera posibilidad de que lleven a la práctica semejantes canalladas habla del carácter transgresor de una forma de vida. Tal como lo plantea Paz, el humorismo del macho es arbitrario, descomunal, absurdo, con frecuencia violento, produce horror, mata, destruye, es un acto de venganza; puede ser tan arbitrario, descomunal, absurdo e impulsivo como los *actos gratuitos* de los surrealistas, los *acting-out* freudianos o los *passage à l' acte* de la psiquiatría clásica francesa; esto revela cuán ligado está al subconsciente, a las lógicas animales del macho, a sus miedos, deseos y pulsiones más profundos e intensos; su violencia revela la fuerza incontenible de sus motivaciones, el tamaño de sus miedos. Lo que desencadena el humor violento del macho se encuentra en lo más esencial y primitivo de una lógica machista que se hereda, desde hace siglos, de padre a hijo, de generación en generación.

En la lógica patriarcal confluyen pulsiones animales y elaboraciones culturales complejas; las segundas se encuentran íntimamente imbricadas con las primeras, y para entenderlas es necesario hacer una revisión, así sea rápida, de unas y otras.

El machismo es en buena medida una reminiscencia de ciertas lógicas animales; en muchísimas especies de insectos, peces, reptiles y aves, y en la mayoría de los mamíferos, sólo puede haber un macho dominante que tiene privilegios enormes sobre el resto del grupo; en algunas especies sólo el macho alfa tiene derecho a reproducirse y cualquier otro macho que pretenda aparearse debe ganarse ese derecho destronando al líder que, para mantener su lugar, debe someter y humillar a los demás. En esta lógica, el macho dominante puede —y a veces debe— matar a los miembros del grupo que ponen en riesgo a la colectividad o a los que disputan su primacía; con frecuencia, la disputa es con sus hijos. Estos comportamientos persisten, con algunas modalidades, en las sociedades patriarcales (incluso en las más modernas y civilizadas) en las que el padre sigue usando la violencia para imponer el orden en su clan o su familia: en la mitología griega Saturno devora a sus hijos; en la antigua tradición judía el padre sacrifica a su primogénito, y en el derecho romano, el *pater familias* tiene la potestad de abusar y hasta de matar a su descendencia. La competencia a muerte entre padre e hijo por el poder fue retomada por diversas mitologías y es tema fundamental en casi todas las culturas; en Occidente quedó plasmada en el mito de Edipo y es piedra angular de la teoría psicoanalítica freudiana. Freud escribió a su vez su propio mito alrededor de este "padre de la horda" que durante un tiempo es dueño de todas las mujeres y luego es asesinado por sus hijos varones. Su representación es interiorizada y de ahí surge un ideal del deber ser, que es la ley que regulará a los hermanos en lo sucesivo: el superyó.

Detrás del humorismo violento del macho están una cultura y una psicología del poder en la que el varón dominante decide sobre la vida y la muerte. Esta tradición conforma un *superyó* sumamente sádico, cruel y poderoso.

En la lógica freudiana, el *superyó* del macho tiene todo el poder y exalta al individuo —al *yo*— que durante años fue vejado —o, en ocasiones, solapado en sus arbitrariedades— permitiéndole después ser el agente de la violencia, del poder absoluto; este hombre que concentra el poder tiene el derecho a sacrificar, a disfrutar el sacrificio. Ya sea que en su infancia haya sido vejado o solapado, el macho surge por identificación con un ideal, con un modelo a seguir.

El humorismo terrible del macho se desencadena por un miedo profundo, el miedo a no ser el hombre, a no ser hombre, a no tener un lugar, a no ser nada; en este universo patriarcal, el que no mata, viola, humilla o destierra se expone a ser matado, violado, humillado o desterrado. Detrás de muchos actos violentos entre machos se trasluce el miedo del hombre a ser desplazado de su rol predominante, a ser despojado de su poder (el miedo a perder en el futbol, a ser vencido por un rival despreciable, a no mandar en casa, a ser humillado por cualquiera). El miedo a ser destruido, a ser tratado con crueldad, de manera arbitraria (tal como lo hacen ciertos padres con sus hijos) es terrible y está en el origen del humor sádico, desgarrador, nefasto y cruel del macho, de sus actos arbitrarios, que provocan miedo, muerte y destrucción, en fin, de sus chingaderas.

El macho mexicano hereda las lógicas patriarcales más sádicas y usa la violencia y la crueldad para imponerse, para conservar el poder, para darse su lugar, "*pa'* que aprendan todos (incluso él mismo) quién es el que manda".

## *¡Oiga usted por qué agrede el mexicano!*

Estas lógicas machistas dan pie a una actitud tanática en la que florecen situaciones paradójicas crueles, y éstas a su vez generan toda una cultura humorística siniestra, machista y negra. Es sabido que en México "la vida no vale nada". Según un viejo cuento, un juez interroga a un tipo acusado de asesinato:

—¿Es verdad que lo mató por cinco pesos?
—Pues sí.
—¿Cree usted que la vida de una persona vale tan poco? ¿Cree que vale la pena matar a una persona por cinco pesos?
—Pues verá usted: cinco pesitos acá, cinco pesitos allá...

Desde la década de los treinta es común encontrar en las secciones policiacas de las publicaciones nacionales historias en las que el asesino, los policías y el reportero hacen gala de un humor siniestro y violento:

COMO LE METIERON UN GOL ÉL METIÓ DOS BALAZOS

Rodolfo Quintana Flores, tras de que mató a balazos a Juan López Hernández, "capulinamente" se paseaba por la Colonia Roma, pero agentes de la DIPD, que lo buscaban afanosamente, le dieron la mano, le preguntaron su nombre y finalmente lo encerraron en "chirona". "Me ganó al futbol, por eso lo maté", dijo el joven matón.[103]

Max Aub, escritor español avecindado en México publica en 1956 *Crímenes ejemplares,* un libro hecho, según el autor, con "material de primera mano", recopilado en España, Francia y México, donde transcribe las "razones" que llevaron a asesinatos y suicidios. Una parte muy importante de estos textos acusa un claro origen mexicano, y en muchas de estas confesiones se trasluce una actitud en extremo machista que da pie a un humor que no sabemos si es o no voluntario:

—Pueden ustedes preguntarlo en la Sociedad de Ajedrez de Mexicali, en el Casino de Hermosillo, en la Casa de Sonora: yo soy, yo era, muchísimo mejor jugador de ajedrez que él. No había comparación posible. Y me ganó cinco partidas seguidas. No sé si se dan ustedes cuenta. ¡Él, un jugador de clase C! Al mate, cogí un alfil y se lo clavé, dicen que en el ojo. El auténtico mate del pastor...

—Le pedí el *Excelsior* y me trajo *El Popular.* Le pedí *Delicados* y me trajo *Chesterfield.* Le pedí una cerveza clara y me trajo una negra. La sangre y la cerveza, revueltas, por el suelo, no son una buena combinación.

—¡Y aquel jijo cerró a seises, cuando estaba tan claro como el día que yo tenía la última blanca! No lo volverá a hacer. Y se decía campeón de Tulancingo. ¿Para qué hablamos?

—Era bizco y yo creí que me miraba feo. ¡Y me miraba feo! A poco aquí a cualquier desgraciado muertito lo llaman cadáver...[104]

A fines del siglo XX el escritor Tomás Mojarro tenía un exitoso programa radial, y uno de los segmentos más gustados se titulaba *¡Oiga usted por qué agrede el mexicano!* En esta sección, el escritor leía noticias policiacas publicadas en los diferentes periódicos del país, algunas de las cuales estaban llenas de un humor siniestro, a veces involuntario:

Un tipo que mata a dos japoneses a mansalva porque, según confiesa a la policía, "me caen gordos los chinos".

Se presenta en la agencia del Ministerio Público una mujer de unos 35 años, alta, morena, con una pierna rota y otras lesiones de diversa gravedad. Refiere que llegó a su casa, y su marido, que estaba escondido detrás de la puerta, le saltó encima al grito de "a ver si así aprendes a tenerme siempre bien planchadas mi capa y mi máscara de luchador".

Un individuo hiere a balazos a las meseras de un café "*pa'* que aprendan a servirme el pozole como me gusta: con harta cebolla, orégano y chile piquín".

—¡Lo maté *pa'* que aprenda!

Al igual que ocurre con el humor del macho, es difícil saber si estas declaraciones son producto de una voluntad humorística consciente, errores de lógica, un subproducto paradójico de actitudes patriarcales o manifestación de una mera estupidez criminal.

## Aquí, el único que se burla soy yo

Para conservar su lugar dominante y su preeminencia, el macho usa la violencia física, pero también la verbal. En las películas de la época de oro del cine nacional son bastante comunes las escenas en las que un tipo reta a golpes a otro porque se siente agraviado por su risa o burlado por su sonrisa: "¿De qué te ríes?", "¿acaso crees que soy tu burla?".

En su lógica, el macho puede abusar o burlarse de los demás, pero absolutamente nadie abusa de él. En la nota roja mexicana con frecuencia se leen historias de asesinos que justifican su crimen alegando cosas como: "Lo maté porque se estaba riendo de mí". Esta reacción desproporcionada e injustificable ante la risa del otro tiene su origen en la idea de que la burla de un hombre debe ser tan letal como su pistola, debe humillar, fulminar. El humor verbal machista también tira a matar; es tosco, soez, vulgar, está más cerca del insulto que de los *jeux d' esprit* o la ironía y sirve para la burla colectiva en todas sus formas: el escarnio, el choteo, el pitorreo. En las sociedades patriarcales la cultura humorística del macho cultiva las formas más agresivas. En México el humor machista se especializa en el género humorístico más violento y sádico: la burla ofensiva, el insulto.

Según un viejo cuento:

> Un charro entra a una cantina y después de tomarse unos tequilas, se para a la mitad del salón y grita: "¡Los que están a mi derecha son todos hijos de la chingada!" Y los parroquianos que están a su diestra callan y se intimidan. Después, el charro agrega: "¡Y los que están a mi izquierda son todos unos putos!" Todos los aludidos se hacen chiquitos menos uno que protesta, airado: "Yo no soy ningún puto". A lo que el charro concluye: "Pues pásese del otro lado, amigo".

El arte de insultar fue cultivado desde los primeros años del México independiente, tanto por el vulgo como por escritores famosos. Fueron célebres los intercambios de injurias entre los panfletistas Rafael Dávila (del bando conservador) y Pablo Villavicencio (del bando liberal). En el siglo XIX escritores como Aguilar y Marocho, Francisco Zarco, Guillermo Prieto, Ignacio Ramírez, Ireneo Paz, Vicente Riva Palacio y Lorenzo Elízaga se especializaban en hacer burlas machistas y agresivas.

Nadie escapa a las ofensas machistas... en algunos momentos ni el presidente ni el héroe patrio ni la realeza. En tiempos de Santa Anna, una adivinanza popular pone en duda la hombría del caudillo:

Es Santa sin ser mujer;
Es hombre, más no cabal;
Es de palo, carne y hueso...
Adivina quién será.[105]

En 1863, cuando Maximiliano de Habsburgo llegó a la Ciudad de México, una mano anónima pegó esta cuarteta en los muros de Palacio Nacional:

Llegaste Maximiliano
Y te irás Maximilí;
Pues lo que trajiste de ano
Lo vas a dejar aquí.[106]

Con motivo de las elecciones presidenciales de 1870, el presidente Benito Juárez y su ministro Sebastián Lerdo de Tejada, que hasta entonces habían sido aliados inseparables, se distanciaron públicamente, pero en 1871 Lerdo y don Benito se reconciliaron. Este reencuentro motivó al caricaturista Santiago Hernández a publicar una caricatura en la que los dos políticos, reunidos por la ambición, se besan en la boca. La imagen debe haber resultado bastante violenta, pues Juárez acababa de enviudar y Lerdo era un soltero empedernido.

En 1876, tras ser exiliado por su participación en un golpe de estado, Ireneo Paz le dedica al presidente Lerdo unos versos en los que lo llama "joto":

Ya tiembla como un *joto* el sultancillo,
Al contemplar del pueblo la cuchilla,
Y sueña con la eterna pesadilla
De que se ofusca su precioso brillo.[107]

Porfirio Díaz era temible pero en alguna ocasión lloró en público por lo que la oposición lo apodó *El Llorón de Icamole* y le dedicó versos como este:

Y como el puesto usurpó,
Sin saber ser presidente,
Se hizo tonto de repente
—¿Se hizo tonto?
—Sí.... y lloró....

*Juárez y Lerdo de Tejada, caricatura de Santiago Hernández publicada en* La Orquesta *en 1871.*

—Mire usted ¡qué ladino!
—Llorar, sólo es su destino.[108]

Incluso en los sofisticados círculos intelectuales y académicos mexicanos se practica este humor insultante.

Pedro Serrano refiere que cuando Riva Palacio estaba como embajador de México en Madrid, tenía una mala relación con la duquesa Emilia Pardo Bazán:

> En una ocasión se encontraron en la puerta de [una] chocolatería la aristócrata y el general, cambiándose estos piropos:
> —Viejo chocho.
> —Chocho viejo.[109]

En muchos de sus textos periodísticos, José Juan Tablada, Salvador Novo y otros escritores notables practican un humorismo agresivo, y a todo lo largo del siglo XX es común que los intercambios epistolares y verbales entre articulistas reconocidos estén llenos de insultos machistas más o menos rebuscados. Por ejemplo, Luis Spota se burla públicamente de la homosexualidad de Salvador Novo, quien según la tradición oral le responde: "[...] es que la mamá de Luis Es-pota".

La vieja y la Nueva España comparten una cultura patriarcal machista desde el siglo XVI, y en su lógica el macho tiene derecho a humillar a los que no son hombres y a los que no son suficientemente hombres. Así, desde los tiempos de la Colonia el discurso satírico del macho tiene sujetos de burla específicos, temas de escarnio; éstos son, en *crescendo:* los poco hombres (por definición, los que son menos hombres que uno), los agachones, los miedosos (los deshuevados), los malnacidos (los bastardos, los hijos de mujer de dudosa reputación), los cornudos (es decir, los maridos engañados), las mujeres —esa mitad de la humanidad que tuvo la desgracia de no haber nacido hombre—, y los homosexuales —que nacieron hombres pero traicionaron, por razones que los varones verdaderos jamás podrán entender, su condición privilegiada.

Quienes son objeto de las burlas machistas para defenderse desarrollan formas de humor antimachista que con frecuencia resultan más eficaces y contundentes que la burla de los "hombres verdaderos": diversos humoristas se pitorrean del universo de los varones probados, se crean arquetipos que ridiculizan a los machines, se hacen chistes androfóbicos, se cultiva un violento humor "feminista" y se utiliza el catálogo de ofensas machistas para burlarse de los machos.

## ¡Me burlo de ti porque soy más hombre que tú...!

Según un cuento popular:

> Están tres charros empistolados en la mesa de una cantina, bebiendo y echando bravatas a los demás parroquianos. Al cabo de un rato llega un viejo y se pone en la barra a tomar. Después de unos tequilas, el viejo descubre la mesa de los tres charros y les grita a todo pulmón: "¡Tu mamá, tu mamá y tu mamá! ¡Sí, les estoy hablando a cada uno de ustedes, trío de pendejos!". Uno de los charros se para furioso de la mesa para callar al viejo impertinente, pero los otros lo detienen: "No le hagas caso. Está viejo y ya está borracho". Sin embargo, el ruco redobla la andanada: "¡Te digo que tu mamá fue mi hembra! ¡Yo me acostaba con ella a cada que yo quería y qué!" Otro de los charros, indignado, se quiere levantar, pero los otros lo convencen de que no haga caso. El viejo grosero continúa: "¡Me agarraba a tu mamá de a chivito en precipicio y ella aullaba como perra! ¡Y luego me daba de besitos acá abajo!" Finalmente, los tres charros se levantan furiosos de la mesa, se dirigen al anciano impertinente; uno se cala el sombrero, otro se faja el cinto y el otro lo agarra firmemente del brazo mientras le dice: "Papá, ya mejor vámonos *pa'* la casa".

En las películas *La oveja negra* y *No desearás la mujer de tu hijo,* Fernando Soler interpreta a Cruz Treviño Martínez de la Garza, un viejo cacique de pueblo, borracho y macho hasta las cachas, que maltrata a su mujer y a su hijo Silvano, interpretado por Pedro Infante. El hijo es muy machito y todos en su pueblo lo respetan, menos su papá; sin embargo, él le profesa a su progenitor una reverencia que raya en lo absurdo: le aguanta que le pegue en público, que lo humille y hasta que insulte a su madre. El arquetipo del macho sometido a su padre es, en esencia, un patiño cómico. En un momento dado, Silvano es empujado por el pueblo a lanzarse como candidato a presidente municipal, ante lo cual sus enemigos convencen a su progenitor de contender contra su vástago. En una escena, Pedro Infante pronuncia un discurso vibrante, lleno de promesas, que la gente aplaude. Su padre replica: "Si esto promete el hijo, qué no cumplirá el padre". Ante esta andanada, el hijo se da por derrotado. Para el macho, la burla es un ejercicio de poder, una prerrogativa del poderoso, del encumbrado, del que manda, del cacique, del mandamás, del jefe, del padre. El sometimiento es clave en la cultura patriarcal machista, debe ser absoluto y se aprende desde la infancia. Para el macho, los niños aún no son hombres completos, su cuerpo apenas se distingue del de las niñas; deben enseñarse a hacerse hombres, deben aprender a ser machos, deben pasar por ritos de masculinidad, algunos de los cuales implican burlas y humillaciones. En una caricatura publicada en *El Chamuco* aparecen varios niños platicando. El que organiza el juego dice:

> —Vamos a jugar a la familia. Yo era el papá. Juan, la mamá, Pati la abuelita, y Caco el hijo. Y que yo llegaba bien pedo y me los cogía a todos.

En la lógica patriarcal, la autoridad del padre es valor supremo y por eso el mandón puede cometer los peores abusos contra sus subordinados, empezando por sus hijos. Incluso los hijos varones están allí para ser sometidos y son objeto de burla del padre porque no han alcanzado la edad adulta, porque aún no son hombres... y cuando se hacen hombres se vuelven rivales temibles a los que hay que destruir.

*Caricatura de El Fisgón publicada en* El Chamuco.

En los hechos, el universo machista está muy estratificado: sólo puede haber un macho dominante. La lógica del sometimiento patriarcal se reproduce en varios niveles en la sociedad mexicana: el macho manda en su casa y domina a su familia, a su mujer, a sus hijos, a sus entenados, pero él se somete a los machos más poderosos que mandan afuera. Una canción de José Ángel Espinosa, *Ferrusquilla*, describe la actitud de un bravucón de pueblo ante los poderosos:

> Dice que es amigo de gente importante
> De gobernadores y de *ai' pa'* delante.
> Pero nunca dice por ellos qué siente,
> Porque si lo dice le tumban los dientes.

En el esquema patriarcal mexicano las jerarquías son muy claras: los machos que se aglutinan alrededor de los machos dominantes callan ante su jefe y lo adulan... o se atienen a las consecuencias. En esta estructura vertical de poder, el que manda, manda, y si se equivoca, vuelve a mandar... y los demás se friegan. Esta lógica de poder se reproduce desde el hogar hasta los mandos de gobierno. Así como en la casa el padre es el jefe, en el régimen presidencialista mexicano sólo un hombre tiene todo el poder: el presidente. Una prueba de cómo la cultura machista inculcada en la familia se reproduce en la cultura presidencialista hasta a principios del siglo XXI, es que en 2006, en el marco de la contienda presidencial, el candidato panista Felipe Calderón publica una autobiografía que lleva el mismo título de una canción machista vernácula, *El hijo desobediente*.

El presidente es, en México, la máxima figura patriarcal, y así como el hijo se somete al padre, los subordinados al primer mandatario deben mostrar sumisión ante su jefe, tolerar sus humillaciones y portarse como sus incondicionales, sus "achichincles".

Se cuenta que en el sexenio de López Mateos, el secretario particular del presidente solía maltratar a los ministros; en especial se burlaba de Gustavo Díaz Ordaz —quien era entonces secretario de Gobernación—, al que apodaba Tribilín por su fealdad (y el apodo le quedaba). Con frecuencia Díaz Ordaz llegaba con un asunto importante y el secretario del presidente lo corría, no sin antes decirle: "Ni modo, Tribilín, te tocó viaje". Cuando López Mateos designa como su sucesor a Díaz Ordaz y éste llega a la residencia oficial de Los Pinos, el secretario, solícito, le dice: "Don Gustavo, ahora mismo lo atiende el presidente", a lo que Díaz Ordaz, seco, le exige: "Tribilín. A mí llámame Tribilín". En el sexenio de Díaz Ordaz el ex secretario particular de la Presidencia sufrió un atentado, presumiblemente a manos de agentes gubernamentales, y tuvo que salir del país.

En México desafiar al poderoso, burlarse de él, implica correr el riesgo de ser fulminado, eliminado. Lo más común es el sometimiento, la lógica del gallinero, en la que, según reza el paradigma, "los de arriba se cagan sobre los de abajo", y cuando los de abajo llegan a ascender, las consecuencias pueden ser terribles.

Sin embargo, la cadena de burla y sometimiento del patriarcado mexicano empieza en casa, con la familia, y de allí se extiende al resto de la sociedad hasta convertirse en un modelo de comportamiento nacional.

## *¡Esos machos culeros!*

Según una vieja historia,

> Un charro llega a una cantina de Cocula. Se va a la barra y pide unos tequilas. Al cabo de un rato sale y se da cuenta de que se han llevado su caballo. Regresa a la cantina furioso, con los ojos inyectados de sangre y, golpeando con la mano en la funda de la pistola, grita: "¡Óiganme bien, pendejos: me voy a tomar otro tequila y si cuando me lo acabe de tomar no me han regresado mi caballo, aquí va a pasar lo que pasó en Tecalitlán!". El charro pide otro tequila y se lo toma lentamente. Cuando se lo termina sale y confirma que le han regresado su caballo. El charro se monta en él y cuando está a punto de partir un hombre del pueblo le pregunta: "Oiga, ¿y qué pasó en Tecalitlán?". A lo que el charro responde: "No, *pos* ahí sí me chingaron el caballo".

El mundo de los charros de Jalisco es uno de los paraísos de los "varones probados", pero el macho mexicano suele ser una figura de pantalla; tal vez por eso ha sido tema de cientos de películas mexicanas; en los filmes de charros hay decenas de machos intachables que nunca pierden... y cuando pierden, arrebatan. Pero los machos más entrañables del cine nacional tienen fallas: lloran, son mangoneados por una mujer, son celosos y con frecuencia se tienen que rajar. El público en general se identifica más fácilmente con los machos que pierden porque, al final de cuentas, son más reales. En la pirámide machista de poder sólo hay un jefe superior y muchos sometidos; por cada triunfador hay miles de derrotados. A fin de cuentas, en este sistema de valores nadie se salva de ser humillado.

El caricaturista Eduardo del Río, *Rius,* entiende las contradicciones de la cultura machista y escribe *Los Supermachos*, la crónica imaginaria del pueblo de San Garabato Cucuchán, una parodia sociológica, fundada y realista, del universo de los machos que no se rajan:

> San Garabato —tierra de machos, borrachos y comprachos— es un pueblo rabón, igual a otros pueblos de México en el número de machos y borrachos que lo habitan.
>
> San Garabato, sin embargo, ha superado a otros pueblos, pues los machos-machos se fueron del pueblo, unos de braceros y otros de mariachis, por falta de algo qué comer... y se quedaron sólo los muy, muy machos: *¡Los Supermachos!*[110]

Mientras que el superhombre de Nietzche es la afirmación enérgica de la vida, el hombre libre, el ser que trasciende el sufrimiento en aras de un ideal superior, *Los Supermachos* de Rius son lo contrario: se someten y aguantan todo tipo de humillaciones y penurias porque están bien fregados, bajo el argumento de que son muy, pero muy machos. Si el *Supermán* de la historieta norteamericana tiene supervista, superfuerza y supervelocidad, el superpoder de los supermachos mexicanos consiste en que son superaguantadores. Si en la lógica machista el hombre debe ser fuerte y aguantador, los supermachos son

*Portadas de* Los Supermachos *de Rius.*

insuperables en eso de soportar chingaderas. La paradoja que plantea Rius es clara: como somos tan, pero tan machos, entendemos a la perfección las reglas de una cultura patriarcal autoritaria y aguantamos sus abusos al punto de convertirnos en unos sometidos, en unos agachados. Ésta es una representación del mundo al revés en la que, en aras del machismo, los machos soportan todo tipo de vejaciones por parte de la autoridad: encarcelamientos arbitrarios, multas injustas, elecciones fraudulentas...

Otro de los universos de machos-machos es el de los deportistas rudos cuyo máximo arquetipo son los luchadores. Las películas de luchadores son de una candidez notable, lo que da pie a escenas memorables de humor involuntario. Los caricaturistas Jis y Trino parodian el universo machista jalisciense en una historieta de luchadores: *El Santos.* En principio, El Santos es el héroe, la figura masculina por excelencia, el valiente, el conquistador, el campeón; pero en esta historieta acaba siempre humillado por otros luchadores como El Charro Negro o El Peyote Asesino, despreciado por mujeres como La Tetona Mendoza o La Kikis Corcuera, haciéndole los mandados a su admirador El Cabo, violado por un cadenero en un bule, vapuleado por los demás luchadores, abucheado por su público, balconeado en la prensa. El macho que siempre pierde es otro modelo del mundo al revés.

En la realidad, la inmensa mayoría de los machos son unos agachones y unos derrotados. Están lejos de cumplir con los ideales del *Hombre Verdadero,* del *Jefe de Jefes,* del *Papá de los Pollitos,* del *Macho-Macho,* del *Pesado de la tribu,* como dicen los narcos.

## *¡Me burlo porque yo sí tengo tompiates!*

Un testigo presencial anónimo refiere la siguiente historia:

> En la empresa X, el patrón humilla a sus subalternos, los maltrata e insulta y todos bajan la cabeza y aceptan el regaño en silencio.

El Santos. *Historieta de Jis y Trino publicada en* El Chamuco.

A VER, POLICÍA MUNICIPAL, DEJA ENTRAR AL SANTOS, MAMÓN.
¡ESO CABO! ¡CHAROLÉALO CHAROLÉALO!
¡POS' SI NO TRAE SU CARTILLA NO ENTRAN PENDEJOS!
¿VAMOS A TU CASA POR LA CARTILLA?
ES QUE... ¡YO NO HICE MI SERVICIO MILITAR, CABO!
¡AAAY! ¡PINCHE PERRO, NO TE ENSAÑES!
¡GRRR. ARF ARF!
¡DUELE! ¡DUELE!
HIJO DE PERRA
LES TENGO BUENAS Y MALAS NOTICIAS...
¡BUU JUUU!
QUE TENGO GONORREA.
OYE, MASTER, NO SABES CUÁNTO LO SENTIMOS... OJALÁ TE CURES.
¿NO ME GUARDAN RENCOR?
NO. PARA NADA.
¡HIJO DE TU BOMBA...!
¡OUGH!
¡PEDAZO DE IMBÉCIL!
¡TUP!
¡YUUPII! ¡AJÚA!!
¡SORPRESA! ¡EL PERRO AGUAYO NOS PEGÓ LA GONORREA Y AHORA NOSOTROS SE LAS PEGAMOS A USTEDES!
AY REY: NOSOTROS SE LA PEGAMOS AL PERRO.
¡MÉNDIGAS. ACABO DE AVERIGUAR QUE TENGO SIDA!
QUERÍAS COGER GRATIS, LICENCIADO.
FIN

En un arranque de furia, el jefe la emprende contra un empleado de la oficina que tenía unas secuelas de polio y se burla de sus "capacidades especiales"; lo insulta y le pone apodos; le dice que "trabaja medio tiempo porque sólo es la mitad de un hombre", "Cucho el roto", "poco hombre"... La andanada es grosera, injusta e indignante, sin embargo, ninguno de los colegas del insultado se atreve a defenderlo. De repente, entra al lugar la secretaria del patrón y le pone un alto: "¡Don Manuel, ya párele! No puede tratar así a la gente". De golpe, el jefe se da cuenta de su tropelía y deja de insultar a su empleado. Sin embargo, antes de retirarse, concluye: "Lo que siempre he dicho: aquí, la única que tiene huevos es mi secretaria".

Otro testigo presencial narra que

Alrededor del año de 1973 asistí a una fiesta de la Liga Comunista Espartaco; allí estaba el escritor José Revueltas, que había salido de la cárcel unos meses antes (1971). El lugar estaba lleno de greñudos izquierdosos que bebían, escandalizaban y debatían sobre temas diversos de marxismo. De repente, al lugar llegaron dos "licenciados", dos burócratas de medio pelo, de saco y corbata que, sin lugar a dudas, militaban en el PRI. Era el sexenio de Luis Echeverría y los priistas proclamaban que hacían un viraje a la izquierda. Los licenciados se dirigieron a Revueltas y le empezaron a preguntar sobre temas diversos de política, haciendo gala de sus conocimientos recién adquiridos en materia de Lenin, Gramsci y Trotski. Pepe los escuchaba con atención, sin decir nada; sólo asentía con la cabeza y se sobaba su larga barba de chivo. Al cabo de un rato, los licenciados le preguntaron su opinión al escritor y éste no respondió, ante lo que los encorbatados redoblaron su andanada radical.

El ambiente se tensó; la gente empezó a rodear a este extraño trío; los burócratas finalmente insistieron: "Maestro, ¿qué opina usted de lo que le estamos planteando?". Revueltas hizo una larga pausa. Se acarició las barbas, miró al techo, miró al piso y finalmente clavó la mirada en los dos priistas para señalarlos con el dedo y decirles: "Yo opino que tú y tú me la pelan". La raza soltó una sonora carcajada y los burócratas se fueron con el rabo entre las piernas.

En el universo machista sólo los hombres tienen testículos y pene y, por lo tanto, derechos, y sólo los que tienen muchos cojones imponen su ley. Los demás son individuos incompletos, seres inferiores que sólo merecen la burla; vinieron al mundo para avergonzarse, para ser dominados, sometidos y humillados por el hombre verdadero. Un cobarde no es digno de estar en el mundo de los hombres y el varón que exhibe su cobardía es menos hombre que otro, es poco hombre, no tiene huevos, es un deshuevado, un coyón. La valona de *La Mona*, anónimo popular, habla del terrible miedo que tiene un hombre a ser castrado por otro hombre:

¡Ay! Yo corrí más que una mona
por librarme de un tirano.
¡Ay! Chiquito se me hizo un llano
como boca de redoma.
Esa aición fue en una loma,
¡Ay! Donde me pasó el suceso,
Me daba golpes muy recio.
¡Ay! Me enseñaba una daga,
Me decía que me capaba:
"No tengas pena por eso".

La castración, la dominación, el sometimiento de un hombre por otro es algo que se da a muchos niveles, de muchas maneras, en sentido físico y figurado. Del mismo modo que se embarcan en pleitos a golpes y balazos para ver quién las puede más, los machos se engarzan con frecuencia en ríspidos intercambios verbales o duelos de albures humillantes. Algunos de estos duelos suelen ser tan ofensivos que con frecuencia terminan a golpes. El canon machista presupone que el que es de veras hombre se debe hacer respetar en toda circunstancia, y cuando dos machos igualmente poderosos se enfrentan el duelo es violento, así no corra la sangre. Un testigo presencial refiere un enfrentamiento pasional, cargado de humor ofensivo, de la década de 1950:

> Un diputado del PRI, de esos que siempre cargaban pistola, mantenía una relación tórrida y tormentosa con una mujer; se amaban apasionadamente, se engañaban, rompían, volvían. Después de una ruptura que parecía definitiva, la dama, para encelar a su amante, inició un romance con el peor enemigo del diputado. Resulta que en una ocasión, la nueva pareja y el político coincidieron en el restaurante Club Tampico. La mujer azuzó los celos entre su viejo y su nuevo amante, que iniciaron un áspero intercambio verbal. Para cerrar la discusión, el segundo tomó a su novia por el talle y le dio un beso largo, lascivo, provocador. Cuando terminó, se volteó a ver a su rival y le dijo: "¿Y qué opinas de esto?".
>
> A lo que el diputado respondió: "Bonito, muy bonito. Sólo que te advierto que estás metiendo la lengua donde yo antes metía… (otra cosa)".
>
> La cosa estuvo a punto de acabar a balazos.

Según los códigos de la hombría mexicana, el macho nunca se arredra ante el peligro, siempre encara su suerte y sale triunfante de sus retos aun cuando esté desarmado; siempre hace gala de su virilidad, de sus tamaños, de sus huevos, de sus tamaños huevotes. El varón probado es la vara con la que se miden todos los demás seres vivos; nadie puede poner en duda que es un varón probado y todos aquellos que son menos hombres que él son despreciables. En el mundo de los machos, el rival se puede dar por muerto cuando es expulsado del mundo de los hombres de verdad. En la película *Dos tipos de cuidado,* Jorge Bueno (Jorge Negrete) y Pedro Malo (Pedro Infante) protagonizan un famoso duelo de sones que termina así:

—Te consta que no soy tonto
Como tú lo has presumido.
—Tonto no, sí entrometido
Por el hambre de amistades.
—El hambre siempre la calmo

Con el manjar del amigo.
—Méndigo es, si no mendigo,
El que roba a sus amigos.
—Tú lo dices...
—¡Lo sostengo!
—No te vayas a cansar.
—¡No le saques!
— Sí le saco.
—Pues se acabó este cantar.

En tiempos de la Revolución, el director de una orquesta típica (Lerdo de Tejada) se ganaba la vida tocando en prostíbulos; este músico reconocido vestía con traje de cuero y sombrero ancho, al igual que muchos generales revolucionarios. Se cuenta que en una ocasión se topó con el escritor José Juan Tablada quien, al verlo, le recitó:

Tú que sabes de batutas
Y que te vistes de cuero
¿De qué batallón de putas
Eres capitán primero?[111]

De esta manera, en una cuarteta el músico pasó de charro temible a puta mayor.

Un testigo presencial refiere que

En una ocasión, un grupo de estudiantes de Arquitectura de la Universidad Nacional Autónoma de México fue a hacer su servicio social a Tabasco, donde fueron convidados a un rancho en el que se amaestraban caballos. Uno de los estudiantes, un chilango que se las daba de muy machito, quedó fascinado con ese universo de vaqueros tropicales y quiso demostrar su hombría montando un caballo. Los tabasqueños le sugirieron que no lo hiciera, pues no había montura y el joven traía pantalones cortos, pero el chilango insistió diciendo que él era muy hombrecito y que no se rajaba. Al cabo de un rato el jinete inexperto bajó de su caballo con la parte interior de los muslos descarnada y sangrando profusamente, por lo que un ranchero tabasqueño le espetó: "¡Híjole, ya te bajó la regla!". El jinete no se repuso de este comentario en todo el viaje.

En el enfrentamiento entre hombres pierde el que no es suficientemente hombre, el que le saca, el que tiene fisuras, el que se raja, el que es como las mujeres. Octavio Paz escribe:

> [...] el ideal de la "hombría" consiste en no "rajarse" nunca. Los que se "abren" son cobardes. Para nosotros, contrariamente a lo que ocurre con otros pueblos, abrirse es una debilidad o una traición. El mexicano puede doblarse, humillarse, "agacharse", pero no "rajarse", esto es, permitir que el mundo exterior penetre en su intimidad. El "rajado" es de poco fiar, un traidor o un hombre de dudosa fidelidad, que cuenta los secretos y es incapaz de afrontar los peligros como se debe. Las mujeres son seres inferiores porque, al entregarse, se abren. Su inferioridad es constitucional y radica en su sexo, en su "rajada", herida que jamás cicatriza.[112]

## *Está bien que chinguen... pero a su madre... la respetan*

Los insultos que más hieren al mexicano son los que hacen mención a su madre, los que se la mientan (se sobreentiende que cuando se habla de progenitoras ajenas es sólo para ofender) y nadie está exento de ser un "hijo de su... madre".

El compositor Juan Reséndiz le dedica una canción a *El hijo de su*:

> Hijo de su era un muchacho
> el hijo de su...,
> el hijo de Susana
> el hijo de su...[113]

Ricardo Álvarez Heredia recoge esta anécdota en la que Álvaro Obregón, el caudillo sonorense de inteligencia extraordinaria y gran sentido del humor, desprecia a un pobre hijo de la tiznada... y a su mamacita:

> Un necio importunaba a Obregón cuando jugaba a las cartas con el general Calles. Ese necio le manifestó:
> —Bueno, general, usted ni baila ni fuma ni bebe ni nada de nada.
> Entonces Obregón ya no resistió y contestó:
> —Ni nada de nada sí.
> Y siguió jugando, pero el necio no se contuvo y volvió a decir:
> —Según cuentan, señor general, usted habría podido ser mi padre.
> Obregón le contestó:
> —Sí, pero no quise.[114]

En el mundo patriarcal, el honor de la mujer siempre está en duda; el derecho romano establece: *Mater, semper certa est. Pater, semper incertus* (existe siempre la certeza de quién es la madre, pero siempre se duda de quién es el padre). En las sociedades patriarcales nobiliarias, en las que la riqueza y los cargos se heredan por lazos de sangre, de padre a hijo varón, la posible bastardía del heredero plantea un problema legal de fondo: el hijo verdadero tiene todos los derechos, el bastardo, ninguno. Entre los siglos XVI y XIX tanto en la vieja como en la Nueva España las infidelidades del hombre son vistas con cierta condescendencia, mientras que las de la mujer resultan inaceptables. En una ocasión un tipo pone en duda la honradez del padre de Sor Juana Inés de la Cruz, a lo que la poetisa responde mentando la madre del ofensor:

**A un soberbio**

El no ser de padre honrado
Fuera defecto a mi ver,
Si como recibí el ser
De él, se lo hubiera yo dado.
Más piadosa fue tu madre,

Que hizo que a muchos sucedas,
Para que entre tantos puedas
Tomar el que más te cuadre.[115]

A pesar de que la sociedad nobiliaria ha desaparecido, muchos de sus códigos no han cambiado. En este país de madres solteras, el hijo que careció de padre, de modelo masculino, tampoco es digno de estar en el mundo de los hombres verdaderos y cualquier tipo queda humillado cuando se pone en duda el honor de su mamá, cuando se le acusa de bastardo. En una ocasión Tristán Maroff, un escritor boliviano avecindado en México, ofende a Salvador Novo y a sus amigos; Novo le revira con este poema vitriólico:

¿Qué puta entre sus podres chorrearía,
Por entre incordios, chancros y bubones,
A este hijo de tan múltiples cabrones,
Que no supo qué nombre se pondría?
Prófugo de la cárcel, andaría
mendigando favores y tostones;
no pudieron crecerle los cojones,
en la cara la barba le crecía.
Bandido universal, como la puta
que el ser le dio, ridícula pipilla
suple en su labio verga diminuta.
Treponema ultrapálido, ladilla
boliviana, el favor de que disfruta
es lamerle los huevos a Padilla.[116]

En el patriarcado el hombre para tener derechos necesita que su madre sea una mujer honesta, cuando no una santa o al menos una hembra fuerte, temible.

En el cine y la literatura mexicanas la matriarca es una figura imponente y ha inspirado varios personajes cómicos. En la película *Los tres García,* de Ismael Rodríguez, doña Sara García interpreta a una matriarca —de puro en boca, crucifijo en pecho y bastón de mando en mano— que mantiene a raya a sus tres hijos. Asimismo, uno de los textos más populares (si no el más popular) de la literatura infantil mexicana contemporánea es *La peor señora del mundo,* de Francisco Hinojosa, cuyo personaje central es una madre rijosa y violenta que tiene aterrado al pueblo, y una de las canciones más notables del grupo Bandula es *La mamá pegalona:*

> Ésta era una mamá muy pegalona,
> Que todo el tiempo andaba bien jetona.
> Por cualquier cosa a sus hijos les daba
> Pellizcos, coscorrones y nalgadas.
> Los pobres niños, todo el día lloraban.
> Tenían las pompas todas moreteadas.

Pero a pesar de todo, los hombres pueden y deben soportar el maltrato de sus madres. Para ellos es mucho peor el maltrato de sus novias y esposas.

## Qué te ha dado esa mujer

El investigador Miguel Arroyo Fernández escribe:

> En México, como en el resto de Latinoamérica, en los pueblos de la cultura mediterránea y en el mundo árabe, los hombres de las clases populares gozan de una libertad de movimientos relativamente amplia: se espera de ellos que mantengan múltiples contactos sexuales incluso estando casados.[117]

Varios dichos populares mexicanos sugieren que el hombre tiene derecho a ejercer su sexualidad con libertad y le dejan a la mujer la obligación de aguantar al varón y cuidar su honra: "Cuiden a sus gallinas, que mis gallos andan sueltos"; "El hombre es fuego, la mujer estopa, llega el diablo y sopla..."; "Para eso son los hombres". Los Cuates Castilla cantan:

Mire, Chachita, no se desespere,
Que son chismes tontos y sin razón,
Que si he besado a Juana y a Tere,
a Mariquita, Luz y Asunción.
Que si he besado es muy cierto,
Pero esos besos no son de amor,
Sólo he besado *pa'* ver si aprendo
Y así poderla besar mejor.[118]

En la tradición machista mexicana la libertad sexual del macho es vista con indulgencia y hasta simpatía, pero, con muchísima frecuencia, la infidelidad masculina no puede ser ejercida sin su contraparte femenina. En una conocida canción, *El gavilán pollero* de Ventura Romero, un gallo se lamenta, con humor ligero, de que le han robado a su hembra:

Se llevó mi polla el gavilán pollero,
la pollita que más quiero,
que me sirvan otra copa cantinero,
sin mi polla yo me muero.

Sin embargo, los machos rara vez se toman las infidelidades de sus mujeres con ligereza. En este país en el que los machos presumen de mujeriegos, la traición de la hembra es una herida mortal para el varón, pues recalca su inferioridad ante otros hombres y ante la mujer que lo engaña.

Una historia popular refiere que

Dos empleados platican en la oficina:
—¿Sabes quién es Francisco de Quevedo? —pregunta uno.
—Pues la verdad no —responde el otro
—¡Qué pendejo eres! Deberías ir a la nocturna.
Al día siguiente, el primero vuelve a preguntar:
—¿Sabes quién es Keynes?
—No, no sé —responde el segundo.
—Te digo que eres pendejo. Deberías ir a la nocturna.
El tercer día, el primero vuelve a preguntar:

¿Y sabes quién es Karl Popper?

—Pues no...

—¡Qué pendejo eres! De veras que deberías ir a la nocturna.

Entonces el otro, ya molesto, pregunta:

—Y tú, ¿sabes quién es Rafael Francisco Godínez Palma?

A lo que el primer empleado responde:

—Pues no...

—¡Qué pendejo eres! Es el que se acuesta con tu mujer cuando te vas a estudiar a la nocturna.

*La endina*, una popular canción de Juan Mendoza, cuenta cómo un hombre enamorado cede ante *casi* todas las exigencias de la mujer alevosa con la que se quiere casar:

...Vámonos pues, le dije,
no me hagas repelar;
cargaremos con tu mama, con tu papa,
con tu abuela, con tu abuelo,
con tu primor de cuatitos,
pero ya vámonos a casar.

Y otra vez me dijo la endina
que me daba de besitos,
pero tenía que cargar
con Calixto "El Nopalito".

...Vámonos pues, le dije,
no me hagas repelar;
cargaremos con tu mama, con tu papa,
con tu abuela, con tu abuelo,
con tu primor de cuatitos,
con Calixto "El Nopalito",
pero ya vámonos a casar.

Refleicionando le dije:
—Quen es ese 'nopalito'
y me contestó la endina:

—El papá de los cuatitos.
Hija de la guayaba,
qué soba me iba a dar,
que se quede con toda su parentela,
ya no me quiero casar.

Según las categorías machistas mexicanas, el más idiota de los hombres es el que se deja engañar por su mujer. A principios del siglo XX el dibujante Ernesto García Cabral presumía de tener un noviazgo con la tiple Celia Montalván quien, se decía, también mantenía un romance con un famoso torero; las malas lenguas afirmaban que Cabral sólo visitaba a la actriz los domingos, cuando su otro amante salía a torear. Un amigo del dibujante le escribió esta cuarteta malintencionada:

Ya no presumas tanto Cabral,
Con esa tiple de jacalón.
Pues todos saben —voz general—
Que tú sólo eres, de esa edición,
El suplemento dominical...[119]

Según un cuento popular mexicano

Una señora llega corriendo, agitada, a informarle a su vecina: "Comadre. Su marido está a punto de tirarse de la azotea del edificio". A lo que la interpelada responde: "¡Dile a ese pendejo que le puse cuernos, no alas!".

El marido engañado es un sujeto de burla común a todas las culturas patriarcales y existe una abundante literatura al respecto: en el *Satiricón* de Petronio, en *Las mil y una noches*, en el *Decamerón*, de Boccaccio y en los *Cuentos de Canterbury*, de Chaucer se narran historias satíricas sobre las desgracias de los hombres que sufren la infidelidad de sus mujeres. Desde los tiempos de la Nueva España, en estas tierras el hombre engañado es sujeto de burla colectiva; es el arquetipo del idiota, del ingenuo, del crédulo que no ve lo que para todos es evidente:

su propia desgracia. De ahí se creó la metáfora del cornudo; todos ven lo que lo distingue, todos ven sus cuernos, menos él; porta su cornamenta como un estandarte que anuncia su desgracia. La figura del cornudo viene de la cultura patriarcal española; el poeta Francisco de Quevedo y Villegas escribe en el siglo XVI este poema satírico:

Cuando tu madre te parió, cornudo,
Fue tu planeta un cuerno de la luna
De madera de cuernos fue tu cuna
Y el castillejo un cuerno muy agudo.[120]

En el universo machista el cornudo es un hombre agonizante; el macho, su verdugo y la mujer infiel, su condena. En México, en el siglo XX el cornudo sigue siendo sujeto de burla y escarnio. En la década de 1920, Diego Rivera acusa al poeta Salvador Novo de homosexual y éste le revira con *La diegada*, unos versos en los que esgrime contra el pintor los cánones machistas. Novo estaba al tanto de que la mujer de Rivera, Lupe Marín, sostenía un amorío con Jorge Cuesta, por lo que, en este soneto, acusa al muralista de cornudo:

Cuando no quede muro sin tu huella,
Recinto ni salón sin tu pintura,
Exposición que escape a tu censura,
Libro sin tu martillo ni tu estrella,
Dejarás las ciudades por aquella
Suave, serena, mágica dulzura,
Que el rastrojo te ofrece en su verdura
Y en sus hojas de alfalfa que descuella.
Retirarás al campo tu cordura,
Y allí te mostrará naturaleza
Un oficio mejor que la pintura.
Dispón el viaje ya. La lluvia empieza.
Tórnese tu agrarismo agricultura,
Que ya sabes arar con la cabeza.[121]

## Maldición de los hombres: las "benditas" mujeres

En la década de 1920, en pleno maximato, la voz general afirmaba que las hijas del general Plutarco Elías Calles eran de cascos ligeros, por lo que un grupo de teatro montó una obra cómica que se titulaba *Las calles son públicas*. En la década de 1960 los cómicos Viruta y Capulina tenían montado el siguiente diálogo en la película *Viaje a la luna*, que se llevaba a cabo ante un vehículo descompuesto:

> CAPULINA: —¿Sabes cuál es la diferencia entre este coche y tu hermana?
> VIRUTA: —No.
> CAPULINA: —En que este coche no jala...
> VIRUTA: —¿Y mi hermana?
> CAPULINA: —Ah no, ésa sí jala.

Un testigo cuenta que

> En la década de 1970 en la Facultad de Economía de la Universidad Nacional Autónoma de México se reunía un grupo de estudiantes. Era un grupo cerrado y un novato hacía grandes esfuerzos por integrarse a él a pesar de que lo ninguneaban; para darse a valer, un día les mostró con orgullo la fotografía de su novia, una muchacha en verdad linda. Uno a uno, los integrantes del grupo vieron la fotografía, haciendo comentarios, primero amables y después más atrevidos; finalmente, la foto llegó a manos del líder, un tipo fornido de casi dos metros de altura, quien la vio largamente y, sin hacer ningún comentario, se frotó la imagen de la muchacha por la bragueta del pantalón y la devolvió al novio que se fue furioso y humillado.

En las sociedades machistas la debilidad del hombre son sus mujeres: su novia, su esposa, sus hermanas e hijas y, por supuesto, su madre. En México, la tradición misógina es muy fuerte pues se nutre de varias culturas patriarcales: la indígena, la árabe y la española. En los tiempos de la Nueva España la mujer es tratada como un ser inferior, un enviado del mal, un aliado del demonio; todas son hipócritas, tontas, empalagosas, engañosas, de cascos ligeros. Esta misma visión es la que se tiene en España a lo largo de todos esos siglos. En el siglo XV, Francisco de Quevedo escribe:

**Epitafio contra las mujeres de España**

No pises, hombre, aquesta sepultura,
Que harto pesada me es la piedra dura,
Sin que con poca reverencia y seso
Al peso que me oprime añadas peso;
Que las mujeres solas
Que nacen en las tierras españolas
Quiero que pisen mis cenizas canas,
Pues no me oprimen porque son livianas.[122]

La iglesia católica ha tenido una gran influencia en México desde los tiempos de la Colonia y su cosmovisión tiene una carga misógina enorme; mientras venera a la Virgen por ser la madre de Dios, culpa a Eva del pecado original y de la expulsión del Paraíso. Para ella las mujeres sólo tienen valor si son inmaculadas, si son como la madre de Dios, como la Virgen. En la vieja y la Nueva España la mujer es, por definición, culpable de todos nuestros males e inferior al hombre; por lo tanto, las labores que se le pueden encomendar están limitadas al hogar y al convento. Resulta irónico que la mente más brillante de la Nueva España haya sido, precisamente, la de una mujer: Juana de Asbaje. Ella era demasiado libre e inteligente para la sociedad colonial que acabó recluyéndola en un convento, donde adoptó el nombre de Sor Juana Inés de la Cruz. En la lógica de la época, no se puede ser inteligente sin ser hombre o tener mucho de varonil, de modo que a lo largo de su vida Sor Juana recibe muchos elogios y no pocas insinuaciones de que es una rareza, un *freak*, un hermafrodita, un hombre y de los muy barbados. En una ocasión, un caballero la invita a volverse hombre; otro le recita:

La Archi-Poetisa sois,
con ingenio mero-mixto
para usar en ambos sexos
de versos hermafroditos.[123]

En una sociedad que culpabiliza a la mujer Sor Juana denuncia la hipocresía masculina y señala su responsabilidad en eso del pecado original; en una era que proclama la necedad de las mujeres, la Décima Musa escribe una sátira clásica en la que consagra la necedad de los hombres:

Hombres necios que acusáis
a la mujer sin razón,
sin ver que sois la ocasión
de lo mismo que culpáis:
[...]
Combatís su resistencia
y luego, con gravedad,
decís que fue liviandad
lo que hizo la diligencia.
[...]
¿Qué humor puede ser más raro
que el que, falto de consejo,
él mismo empaña el espejo,
y siente que no esté claro?

Con el favor y el desdén
tenéis condición igual,
quejándoos, si os tratan mal,
burlándoos, si os quieren bien.
[...]
Siempre tan necios andáis
que, con desigual nivel,

a una culpáis por cruel
y a otra por fácil culpáis.
[...]
¿O cuál es más de culpar,
aunque cualquiera mal haga:
la que peca por la paga,
o el que paga por pecar?

Pues, ¿para qué os espantáis
de la culpa que tenéis?
Queredlas cual las hacéis
o hacedlas cual las buscáis.
[...]
Bien con muchas armas fundo
que lidia vuestra arrogancia,
pues en promesa e instancia
juntáis diablo, carne y mundo.[124]

Pero a pesar de la sátira de Sor Juana a lo largo de varios siglos los hombres de estas tierras insisten en su necedad: continúan acusando a la mujer de todos los males del mundo, la maltratan, insisten en su supuesta inferioridad, la insultan, vilipendian y cosifican, y una y otra vez se burlan de ella.

En gran cantidad de textos moralizantes del siglo XIX los escritores varones se mofan despectivamente de las mujeres de todas las edades. En *El Gallo Pitagórico* el periodista Juan Bautista Morales arremete contra las cotorronas, las niñas, las casadas, las viejas remilgadas y concluye que las peores mujeres son las que piensan:

> ¿Has escuchado todo lo que te he dicho? Pues todo es tortas y pan pintado respecto de una fea leída y escrebida. No hay paciencia para sufrirla, habla más que ocho locos [...].[125]

Asimismo, el refranero mexicano, que supuestamente concentra la sabiduría popular, abunda en sentencias misóginas que se pretenden chistosas: "La mujer, como la escopeta, cargada y en el rincón"; "El caballo y la mujer no se deben prestar porque regresan con mañas"; "A la mujer, ni todo el amor ni todo el dinero"; "A la mujer y al ladrón, quitarles la ocasión"; "A las hembras y a los charcos hay que entrarles por en medio"; "Busca mujer por lo que valga, y no sólo por la nalga"; "De la mujer mal puedes hablar, pero sólo hasta que llega la hora de acostar"; "Entre la mujer y el gato, ni a cuál ir de más ingrato"; "Jalan más un par de tetas que cien carretas"; "La mujer, alta y delgada y la yegua colorada"; "La mujer, en sus quehaceres, para eso son las mujeres"; "La mujer es honrada hasta las dos de la tarde"; "La mujer que fue tinaja, se convierte en tapadera"; "La mujer y el perro son los dos únicos animales que se ganan el pan a base de caricias"; "La mujer y la guitarra son de quien las toca"; "Mujer a quien le das lo que te pide, mujer que te dará lo que le pidas"; "Mujer con bozo, culo sabroso"; "Mujeres juntas, ni difuntas"; "Mujer que con curas trata, poco amor y mucha reata"; "Mujer que de noche se pasea, es puta, vieja o fea"; "Mujer que quiera a uno solo y banqueta para dos, no se hallan en Guanajuato ni por el amor de Dios"; "Mujer que se va y carta que no llega, cabrón el que las siga"; "Mujer que habla latín, no puede tener buen fin"; "Ni mujer que a otro ha dejado ni caballo emballestado"; "Sin contar a la mujer lo más traidor es el vino", etcétera.

Durante décadas revistas como *Frivolidades, Cómico, La Risa, Don Timorato* y *Ja-ja* caricaturizan a la mujer como un simple "artículo para caballeros". Cientos de canciones populares mexicanas insisten, con una intención supuestamente humorística, en la idea de que la mujer es como un animal que el hombre debe domesticar:

> Las mujeres deben ser como todas las potrancas,
> Que se engríen y se amansan con sus dueños
> Y no saben llevar jinete en ancas.[126]

Lo más agresivo de la sátira misógina mexicana son, por supuesto, los "chistes" que cosifican a la mujer para convertirla en mero objeto de satisfacción sexual masculina: "¿En qué se parecen las mujeres a los cepillos de dientes?, en que mientras más las usas, más se abren las cerdas".

En este contexto sexista la mujer que deja de lado los estereotipos de la dama discreta, la virgen o la esposa sumisa y se da a respetar es ejemplar y extraordinaria. La mujer valiente que se enfrenta al hombre y lo vence es una figura reivindicativa y heroica que resulta humorística en el contexto de la cultura machista. Muchos cuentos y corridos exaltan la historia de mujeres que no se someten al canon patriarcal del macho. Tal es el caso de Teodora, *La entalladita*:

**La entalladita**

Roberto Muciño
le dijo a Teodora:
"Respeta el cariño
que traigo pistola.
La traigo con ocho tiros
¡y van con dedicatoria!"

"Tú ya estás pedida.
A mí me arde la cara
mirarte vestida con
ropa entallada.
Todos los hombres te miran
y a mí no me cuadra nada".
[Teodora responde:]
"Pues yo no quería. Mis padres
me han dado yo estaré pedida.
¿Cuándo me he casado?
No voy a pasar la vida
con un celoso amargado".

[Roberto contesta:]
"No seas tan coqueta.
Sé mas decentita".

Ella le contesta
con una sonrisa:
"Pues yo no tengo la culpa
de haber nacido bonita".

Sacó la pistola
para amenazarla,
pero la Teodora
le arrebató el arma.
Con ella, los ocho tiros
se los sepultó en el alma.

Luego la aprehendieron.
Pero a Teodorita
los jueces la vieron
muy entalladita.
Que la libertad le dieron
nomás porque era bonita.

Roberto se ha ido.
Ella se ha quedado
robando suspiros
cuando se ha casado
*pa'* darle gusto a la vida.[127]

En cuanto el machismo deja de ser la medida de todas las cosas, las manifestaciones del humor misógino pierden su razón de ser y tienden a verse como vestigios de una cultura reprobable. El ensayista Carlos Monsiváis escribe:

> Ya en la etapa de la industrialización, *el machismo* (el término que denuncia o elogia una conducta) se va convirtiendo en una "mala palabra", delatora de actitudes vandálicas y señal de arcaísmo sin remedio [...]. Al machismo se le responsabiliza en gran medida del arraigo nacional en los prejuicios y la intolerancia, del reforzamiento de las causas de la desigualdad [...] el antiguo entusiasmo por la exhibición de impunidades se va volviendo, a los ojos de la

sociedad la vocación de sordidez, en gran parte por el miedo que le tiene al ridículo la barbarie pintoresca, y en parte también por el avance de posiciones feministas.[128]

La crítica antimachista cala hondo en algunos sectores y desde finales del siglo XX se abre paso un humor autoparódico en el que el macho mexicano se burla del estereotipo del que antes se enorgullecía. El grupo de rock Café Tacuba caricaturiza las penurias de un machín herido en su orgullo por una *Ingrata:*

Ingrata,
no me digas que me quieres
no me digas que me adoras,
que me amas, que me extrañas,
que ya no te creo nada.
[...]
Te pido que no regreses
si no es para darme un poquito de amor.
Te pido y te lo suplico
por el cariño que un día nos unió.
[...]
Por eso ahora tendré que obsequiarte
un par de balazos, *pa'* que te duela
y aunque estoy triste por ya no tenerte
voy a estar contigo en tu funeral.

Sin embargo, a pesar de que va en declive desde la década de 1960, el humor que se alimenta del machismo está lejos de desaparecer y la temática machista sigue viva y dando nuevos frutos. La venganza es dulce. En alguna ocasión, Balzac, el gran escritor francés escribió: "La mujer se burla de los hombres como quiere, cuando quiere y donde quiere". A medida que la conciencia feminista crece y que la mujer mexicana cobra conciencia de los horrores del machismo, empiezan a circular chistes antimasculinos con un humor tan agresivo y sexista como el que practican los machos:

Definición de hombre: parte inútil del pene.

¿Por qué es una pendejada que la mujer se case? Porque por 10 centímetros de carne tiesa se tiene que llevar al animal entero.

¿En qué se parecen las mujeres a las moscas? En que unas y otras se sienten atraídas por la mierda.

La misoginia del macho tiene su complemento en la terrible androfobia.

## *Tú lo serás*

En una ocasión, por razones de trabajo el senador y líder electricista Rafael Galván fue a ver a un político que aspiraba a contender por la Presidencia de la República. El precandidato se había hecho quitar unas verrugas que afeaban su rostro y el líder sindical se lo hizo notar, según cuenta un testigo presencial:

—Licenciado, cuando un hombre de su categoría empieza a cuidar su aspecto es que tiene grandes aspiraciones —dijo Galván, aludiendo al hecho de que varias columnas políticas lo señalaban como uno de los presidenciables.
—No, don Rafael —respondió el precandidato, cauteloso— lo que sucede es que me preocupaban estas cosas y por razones médicas me...
—¡O es puto! —concluyó Galván.

De todo el catálogo de insultos machistas, lo más agraviante es llamar a un hombre "maricón", "joto", "puto" en cualesquiera de sus múltiples variantes. El compositor Chava Flores canta en *Tú lo serás*:

...Lo que dijiste la otra noche te lo paso,
lo que dijiste allá en tu casa *pos* también

como soy hombre, de esas cosas no me rajo,
pero no digas que soy *l'otro*, por tu bien.

¡Tú lo serás! ¡Tú lo serás!
¡Tú lo serás! aunque lo nieguen tus papases.
Tú lo serás! ¡Tú lo serás!
¡Tú lo serás! Porque yo no soy Floripón.

(Coro) Le pondremos Floripón,
Floripón al que acaba de cantar.

(Solista) Ese nombre no me gusta matarile lirelón.

Lo peor que puede ocurrir en el universo machista es la homosexualidad, la existencia de un hombre que nació varón pero al que le gustan los hombres y, en consecuencia, ejerce formas de sexualidad que se identifican con las de la mujer. El homosexual es por antonomasia el objeto de burla de los machos. Un verso popular reza: "Pobre del hombre que nació mujer, más le valiera pegarse un tiro por doquier".

La homofobia es también una herencia compartida con la vieja España y su máximo exponente literario es Quevedo, quien destila sus peores venenos cuando habla de los bujarrones:

No en tormentos eternos
Condenaron su alma a los infiernos
Mas los infiernos fueron condenados
A que tengan su alma y sus pecados.
Pero si honrar pretendes su memoria,
Di que goce de mierda y no de gloria;
Y pues tanta lisonja se le hace,
Di: *Requiescat in culo,* mas no *in pace.*[129]

La sátira de Quevedo es fulminante y violenta en extremo. Las imágenes son terribles y ricas en alusiones íntimas, escatológicas, en expresiones sádico-anales. Es el modelo satírico de la homofobia de los machos mexicanos.

Muchas sociedades condenan y persiguen la homosexualidad, sin embargo, la predominancia de la cultura machista hace que la homofobia mexicana tenga una historia muy particular. En la Colonia, los sodomitas son condenados a la hoguera y durante casi todo el siglo XIX la homosexualidad es vista como algo tan aberrante que el tema prácticamente ni se menciona. Carlos Monsiváis afirma que "en los códigos del porfiriato, ser macho es la seguridad de no vivir en vano y el que no lo es contradice [...] la esencia de los mexicanos y los seres humanos".[130]

En noviembre de 1901, en pleno esplendor porfiriano, la sociedad bien pensante de México se ve sacudida por el episodio escandaloso "de los 41": la detención, en una casa de alta sociedad, de 41 homosexuales (de los cuales aproximadamente la mitad vestía de mujer) que participaban en un baile privado. La prensa sensacionalista se solaza con el acontecimiento; la imprenta de Vanegas Arroyo publica varias hojas sueltas ilustradas por José Guadalupe Posada en las que se mofa de los detenidos. Al pie de una caricatura en la que se ven unos bigotones travestidos bailando con unos tipos de frac se lee:

Hace aún muy pocos días
Que en la calle de la Paz,
Los gendarmes atisbaron
Un gran baile singular.

Cuarenta y un lagartijos
Disfrazados la mitad
De simpáticas muchachas
Bailaban como el que más.

La otra mitad con su traje,
Es decir de masculinos,
Gozaban al estrechar
A los famosos jotitos.

Vestidos de raso y seda
Al último figurín,

Con pelucas bien peinadas
Y moviéndose con chic.

Abanicos elegantes
Portaban con gentileza,
Y aretes ó dormilonas
Pasados por las orejas.

Sus caras muy repintadas
Con albayalde o con cal,
Con ceniza o velutina...
¡Pues vaya usté a adivinar!...[131]

El episodio es tan célebre que desde entonces la jerga popular para acusar a una persona de homosexual dice: "éste es un 41". En una estampa publicada en el periódico *La Guacamaya,* José Guadalupe Posada dibuja una escena del mundo al revés en el que los hombres se portan como mujeres y viceversa. Alrededor de un enorme número 41, varios bigotones vestidos de mujer hacen labores femeninas: uno le coquetea a un hombre con un abanico, otro cocina, otro plancha, otro cose y el último cuida a un niño. Al pie de la estampa se lee:

Mientras la mujer asiste
al taller y á la oficina,
y de casimir se viste,
y de la casa desiste
y entra airosa á la cantina,
el hombre barbilampiño
queda haciendo el desayuno
cose, plancha y cuida al niño,
y todos con gran cariño (?)
le llaman *cuarenta y uno*.[132]

En este universo el macho que se respeta debe abandonar la casa para irse a la chamba y a la cantina. Por supuesto, en este esquema cuidar a los hijos es cosa de mujeres.

La Revolución mexicana —encabezada por caudillos populares, con frecuencia ignorantes, pero eso sí, "muy machos" todos—, lejos de desalentar el patriarcado machista, lo refuerza. Carlos Monsiváis escribe:

> En México, el Hombre Nuevo que se proclama idealiza lo militar desde lo civil: valentía, fe en el Pueblo, virilidad sin mancha, desprecio a los débiles y los blandengues. Del Olimpo de Recios Varones se desprende un mito nacional y nacionalista: el Macho hasta las cachas, el Varón Probado. Esta adoración del patriarcado redentor es en gran medida escenográfica y declamatoria, y quiere desvanecer el panorama de una sociedad devastada por el alcoholismo, el autoritarismo del gobierno y el patriarcado, la violencia familiar, las riñas mortales, el abuso misógino, las violaciones como "el derecho de pernada de todo varón". Y el culto al machismo tiene entre sus consecuencias, ni la más relevante ni la menos dañina, la persecución regocijada de lo diferente.[133]

Durante todo el siglo XIX y la mayor parte del XX, el homosexual es objeto de burlas inclementes. Al triunfo de la Revolución, el machismo es signo de identidad nacional y los homosexuales no son vistos solamente como una aberración sino como traidores a la patria; se les persigue y encarcela. A pesar de todo, un grupo de escritores y artistas notables, entre los que se cuentan Salvador Novo y Xavier Villaurrutia, destaca por su talento y llega a ocupar cargos públicos. Esto escandaliza a varios grupos de intelectuales viriles que consideran a los funcionarios afeminados un peligro para la estabilidad nacional. Orozco los caricaturiza en *El Machete;* Diego Rivera los satiriza en los muros de la Secretaría de Educación Pública; en 1930, el grupo de pintores 30-30 exige que el gobierno expulse de la nómina a los homosexuales y los persiga. En 1934, la Cámara de Diputados instala un Comité de Salud Pública que busca depurar al gobierno de contrarrevolucionarios; un grupo de intelectuales pide que esta persecución se haga extensiva "al hermafrodita, incapaz de identificarse con los trabajadores de la reforma social". Los aludidos se defienden como pueden y eluden la persecución. Por décadas, el sector más machista de la sociedad se ofende por la presencia de homosexuales en cargos públicos y en la calle circulan chistes como este:

—¿A dónde van los artistas cuando mueren?
—Van al cielo.
—¿Y los afeminados?
—Van al infierno.
—Y los que son las dos cosas, ¿van al limbo?
—No, ésos se van al INBA.

Ante la andanada, para sorpresa de todos el joven Salvador Novo responde con una serie de poemas satíricos vitriólicos. Para contraatacar a los que lo acusan de homosexual, Novo retoma el temario machista del Siglo de Oro y el modelo satírico de Quevedo; Novo es homosexual y lo acepta, entonces los demás deben aceptar que son unos cornudos, poco hombres, hijos de puta o jotos reprimidos. La misoginia de Novo es brutal y también está inspirada en el canon machista; a las mujeres no las baja de pirujas y hasta les inventa nuevos insultos. A Diego Rivera le dedica *La diegada,* un poemario mordaz. En un soneto Novo incluso es soez con las hijas del muralista y hace público el nombre del amante de su mujer, Lupe Marín:

Marchóse a Rusia el genio pintoresco
a sus hijas dejando —si podría
hijas llamarse a quienes son grotesco
engendro de hipopótamo y arpía.
Ella necesitaba su refresco
y para procurárselo pedía
que le repiquetearan el gregüesco,
con dedo, poste, plátano o bujía.
Simbólicos tamales obsequiaba
en la su cursi semanaria fiesta,
y en lúbricos deseos desmayaba.

Pero bien pronto, al comprender que esta
consolación estéril resultaba,
le agarró la palabra a Jorge Cuesta.[134]

A Jacobo Dalevuelta (Fernando Ramírez de Aguilar) y Áurea Procel, que ponen la obra de teatro *El laborillo,* Novo los insulta en verso:

Ultrapiojo, archiliendre, multichinche,
bufoncete, soplón, semiladilla,
no hay festival, fiestaza o fiestecilla,
en la que no rebuzne o no relinche.
Puta como la clásica malinche,
actrizuela, metiche, estudiantilla,
con todo el que se deja se atornilla,
le pide un peso y le presta el pinche.
¡Oh, pareja feliz! Éste es el cuento:
aliáronse una meretriz y un pillo
(que para todo da el departamento).
Invitáronme a ver El Laborillo:
y en premio a su magnífico talento,
nutridas palmas dióles mi fundillo.[135]

El veneno de Novo no escatima a miembros de la comunidad gay; al parecer, le dedica a su amigo Villaurrutia este soneto:

A una pequeña actriz, tan diminuta
que es de los liliputos favorita,
y que a todos el culo facilita:
¿es exageración llamarle puta?
Por mucho que se diga y se discuta
ella es tan servicial que, cuando cita,
las vergas que recibe de visita
ornamenta con una cagarruta.
Cuando logra que un golfo se la embuta,
en gritos de placer se desgañita
y gráciles piruetas ejecuta.

Y satisfecha abrocha su levita,
y corre al excusado y le tributa
los górgoros de mecos que vomita.[136]

Novo se maltrata a sí mismo en varios poemas:

Porque yo fui escritor, y éste es el caso
que era tan flaco como perra galga;
crecióme la papada como nalga,
vasto de carne y de talento escaso.
¡Qué le vamos a hacer! Ganar dinero
y que la gente nunca se entrometa
en ver si se lo cedes a tu cuero.
Un escritor genial, un gran poeta...
Desde los tiempos del señor Madero,
es tanto como hacerse la puñeta.[137]

Carlos Monsiváis explica la violencia verbal de Novo:

[...] en una sociedad tan machista, ¿de qué otro método se dispone para borrar el tatuaje psicológico de los términos de la infamia: joto, puto, desviado, maricón, larailo, loca, mujercito, de los otros, tú la tráis? En la práctica del gueto, común a todas las minorías acosadas, el vituperio de sí y de los semejantes mediatiza el filo de los epítetos exterminadores. "Lo que me digan ya me lo dije pero con la elegancia, la ironía y la malicia que ustedes desconocen".[138]

El humor violento de Novo es arma de defensa y reafirmación; para atacar a quienes se burlan de su homosexualidad usa el catálogo de injurias machistas con una eficacia y una gracia que los machos desconocen. A lo largo del siglo XX se harán muchos chistes contra los homosexuales; se dirá que los que trabajan en Relaciones Exteriores laboran en "relaciones posteriores", se contarán millones de albures homófobos y varios actores adoptarán poses afeminadas para hacer reír a su auditorio, pero ninguna de estas manifestaciones es tan eficaz, venenosa y perdurable como los poemas de Novo. En la historia de la literatura mexicana no encontramos ni un solo machín que tenga una pluma tan aguda como la de Francisco de Quevedo, y Novo, si bien carece de los vuelos literarios del español, escribe muy bien y lo supera en veneno. Es justo recordarlo como él se autodefinió, como "un Quevedo tardío".[139]

Día tras día, en México la homofobia pierde terreno y el gran pionero de esta lucha fue Novo. Resultó más valiente que muchos recios varones; no sólo sobrevivió, sino que se impuso y triunfó sobre todo un país de machos... y lo hizo gracias al humor.

## *No seas puto y dame un beso*

Un tipo cuenta sus aventuras en el carnaval de Veracruz a unos compañeros de trabajo:

—Estaba ya pedísimo y que me ligo a una chava. Y ahí andamos, beso y beso, y que le bajo los calzones y... ¡Ay, cabrón! Que no era chava, era chavo.
—¿Y qué hiciste?
—No, pos ya encarrerado el ratón, chingue a su madre el gato.
—¿A poco te lo...?
—Claro, ¿o a poco ustedes son de los que se arrugan ante el peligro?

Según Miguel Arroyo Fernández, en México,

> Las prácticas sexuales entre varones son relativamente frecuentes también, aunque se llevan a cabo en el más absoluto de los secretos; es éste un dominio privado masculino del que las mujeres aparentemente no saben nada [...].
>
> Es necesario observar que el hombre mexicano tradicionalmente no ha sentido que pierda su masculinidad en tanto mantenga el papel activo en su relación homosexual, y en tanto no se implique afectivamente.[140]

Según los valores machistas, el homosexual pasivo es un ser vil y despreciable porque se deja penetrar por otro hombre; en cambio, el varón en rol activo es todo un hombre; de hecho es tan hombre que hasta penetra a otros hombres. Así, en México, entre hombres se escuchan expresiones humorísticas como: "No seas puto y dame un beso"; "Agujero, aunque sea de caballero", o "*Púshale,* que te estás cogiendo a un macho".

Las ambivalencias y contradicciones implícitas en este doble juego de valores da pie a historias como esta:

> Están dos machos bigotones hablando en una cantina y uno le reprocha, con furia, al otro:
> —¡Compadre! ¿Es verdad que usted anduvo diciendo que usté y yo nos andábamos besando el otro día atrás de la iglesia?
> —No, compadre, ¿cómo cree?
> —*Pos* entonces nos vieron, compadre.

Otro cuento refiere que

> Están dos charros en una cantina y uno saca una botella de tequila, la pone sobre la mesa y le dice al otro: "¿Cómo ve, nos la chupamos? Y el otro responde: "¿Qué, y la botella es para darnos valor?

En un *sketch* clásico, Tin-Tan cuenta que tuvo un disgusto con un charro:

> [...] se enojó el charro, y se fue a la cantina, pegó en el mostrador y dice (con voz rasposa): "A ver, un tequila", y un señor que estaba junto a él dice (con voz afeminada): "A mí me da un aníiiss". Se lo tomó el charro y se tomó su anís el señor. Al rato volvió a pegar: "Otro tequila" (y la voz afeminada pide) "Otro aníiis". Se volvió a tomar su tequila el charro y su anís el señor ese raro. Más tardecito: "A ver, otro tequila", decía el charro (y la voz afeminada pide) "Otro anís". ¡Se ha puesto una borrachera el charro! Al ratito le dieron ganas de ir... allá afuera, el otro señor lo siguió. Quién sabe qué pasaría, pero cuando volvió el charro pegó en el mostrador

y dice (con una voz afeminada): "A ver, un aníiiis. ¡Hummm!" Le cambiaron la mira al charro.[141]

Es común que las formulaciones más machistas acaben en declaraciones gays y muchos chistes populares recogen historias como esta:

> Un día un pinche maricón puso en duda mi hombría. Para probarle que de veras soy bien macho, que me acuesto con él, que me lo echo. Desde entonces, a cada rato voy a su casa a probarle que soy bien macho... si ya hasta me voy a ir a vivir con él.

El macho maricón es uno de los arquetipos cómicos más acabados de la cultura machista nacional y otro modelo perfecto del mundo al revés. Estas historias de machos calados denuncian que, en los hechos, no hay nada más maricón que un macho, que el varón probado es en realidad aquel que tiene relaciones con otros hombres (y ésa es la definición de homosexualidad).

El arquetipo del macho calado es particularmente eficaz en la medida en que revela la homosexualidad latente del macho y lo absurdo de las reglas patriarcales que han dominado en México durante siglos. Según el canon machista, el peor enemigo del macho es el homosexual, sin embargo, ese mismo canon proscribe a las mujeres del mundo ideal de los hombres verdaderos; esta brutal misoginia apenas esconde las pulsiones homosexuales del macho y es precisamente por el miedo a su propia homosexualidad reprimida que el macho considera al joto como su peor enemigo.

## *Por más macho que te hagas...*

El modelo ideal del macho es cruel, inhumano e imposible. En la sociedad de los machos, prácticamente nadie está a la altura del paradigma machista. Todo varón en algún momento de su vida se humilla ante otros más hombres que él —sea su jefe, su padre o una autoridad—, manifiesta miedo, o corre el riesgo de ser cornudo, chillón o mandilón; además, con muchísima frecuencia los más machos entre los machos esconden fuertes tendencias homosexuales.

El estereotipo del macho temible es, al final de cuentas, un modelo tan frágil, contradictorio, absurdo e imposible que ha dado pie a cantidad de chistes y a una vasta gama de arquetipos cómicos como el supermacho, el agachado, el macho chillón, el macho derrotado, el macho sumiso, el macho cornudo, la mamá temible, la mujer respondona, el maricón macho y el macho maricón. El macho desprecia pero es despreciable; nunca está a la altura de los valores que proclama. El filósofo francés Michel de Montaigne afirma que "tan alto como esté uno colocado, no se sienta uno más que sobre su propio culo"; en esta misma lógica, este grafiti popular —copiado por Agustín Jiménez de la pared de un mingitorio— pone en cuestión el reinado absoluto de los machos, su bravura sempiterna:

Por muy valiente que seas
O por muy macho que te hagas,
Al llegar aquí te cagas
O por lo menos, te meas.[142]

Abrumado por la estructura patriarcal castrante, humillado ante la imposibilidad de ser el macho absoluto, acosado por su propia homosexualidad, el macho suele refugiarse en el alcohol y el relajo. El relajo es una actitud que encaja perfectamente bien en las lógicas machistas y, al menos desde la Colonia, en estas tierras se cultiva una cultura del relajo.

capítulo cuatro
# ¡Qué relajo de país!

## Mitote, deschongue y desmadre

En una escena clásica del cine nacional, Tin-Tan es un falso profesor de canto que le da una lección a una pretenciosa alumna, encarnada por Vitola. Al profesor de canto lo único que le interesa es robarle las joyas a su alumna, y a ella seducir al maestro; lo que debería ser una solemne clase operística termina en el más absoluto relajo.

Las escenas más divertidas del cine mexicano son aquellas en las que los cómicos improvisan echando relajo: Joaquín Pardavé y su baile del Makakikus en *México de mis recuerdos*; el diálogo entre Óscar Pulido y Tin-Tan en *Los tres mosqueteros y medio*; Andrés Soler interpretando la muerte del abate Fariá en *El vizconde de Montecristi;* la escena de amor entre José Medel (vestido de Maximiliano) y Cantinflas (de Carlota) en *Águila o sol;* Cantinflas bailando el danzón con Mapy Cortés en *Gran Hotel;* Pedro Infante haciendo un trío con Óscar Pulido y Piporro en *Por ellas aunque mal paguen;* el Loco Valdés interpretando la canción *Mi amigo el brujo* en *Los fantasmas burlones;* los bailes de Resortes en cualesquiera de sus filmes; las apariciones de Rodolfo Soto Mantequilla y los monólogos de Cantinflas.

Los mejores momentos del teatro mexicano de revista, desde el *Panzón* Soto hasta Jesusa Rodríguez, son aquellos en los que el cómico improvisa echando relajo. La parte más esperada de los conciertos jarochos y huastecos es cuando los trovadores improvisan versos relajientos.

Sobre estas líneas: *Joaquín Pardavé*.
A la derecha: *Vitola*.
*Caricaturas de José Hernández publicadas en* Pantalla de cartón, *CUEC-UNAM, 2008*.

Asimismo, en muchas de las mejores historietas de este país predomina el relajo: *Máximo Tops*, de Abel Quezada, *Rolando Rabioso*, de Gaspar Bolaños, *A Batacazo Limpio* de Araiza, *Los Superlocos* y *La Familia Burrón*, de Gabriel Vargas, *Los Supermachos*, de Rius, *El Santos*, de Jis y Trino, entre otros; muchos de los personajes mejor logrados del cómic mexicano son figuras del relajo: *Borola Burrón, El Santos, Hermelinda Linda*. Lo mismo ocurre con la televisión nacional; en los programas cómicos más memorables los comediantes improvisan el relajo, como cuando Los Polivoces, interpretando al vanidoso *Gordolfo Gelatino* y su madre, juegan con las cámaras del estudio para lograr el mejor ángulo del rorro: "¡Cámara uno!... ¡la dos!.... ¡la tres!... ¡Ahí, madre!"; el Loco Valdés se duerme media hora, en vivo, en cadena nacional; Héctor Lechuga y el Loco Valdés, travestidos en *Las hermanitas Mibanco,* se pelean a pellizcos por Alejandro Suárez; el Loco Valdés declara que el único presidente bombero de la historia nacional es "Bomberito Juárez" y, luego de ser multado por faltarle el respeto al héroe patrio se presenta en el siguiente programa con un cheque para pagar la multa que le van a poner cuando diga que la esposa de "Bomberito Juárez" se llamaba "Doña Manguerita Maza".

En una popular canción, *El taconazo*, el cómico Eulalio González, *Piporro,* describe cómo el relajo se impone sobre las reglas de etiqueta en un baile de sociedad:

Éntrele con fe al bailazo,
Agarre bailadora,
Tómela del brazo.
Rodéyele la cintura,
Saque polvadera
Con el taconazo.
Júntese cara a cara
Y si trae pistola
Saque el espinazo.
Porque con el sangoloteyo
Ella va a sentir muy feyo
Si se le va un balazo.

*Viñeta de* A batacazo limpio, *historieta de Rafael Araiza.*

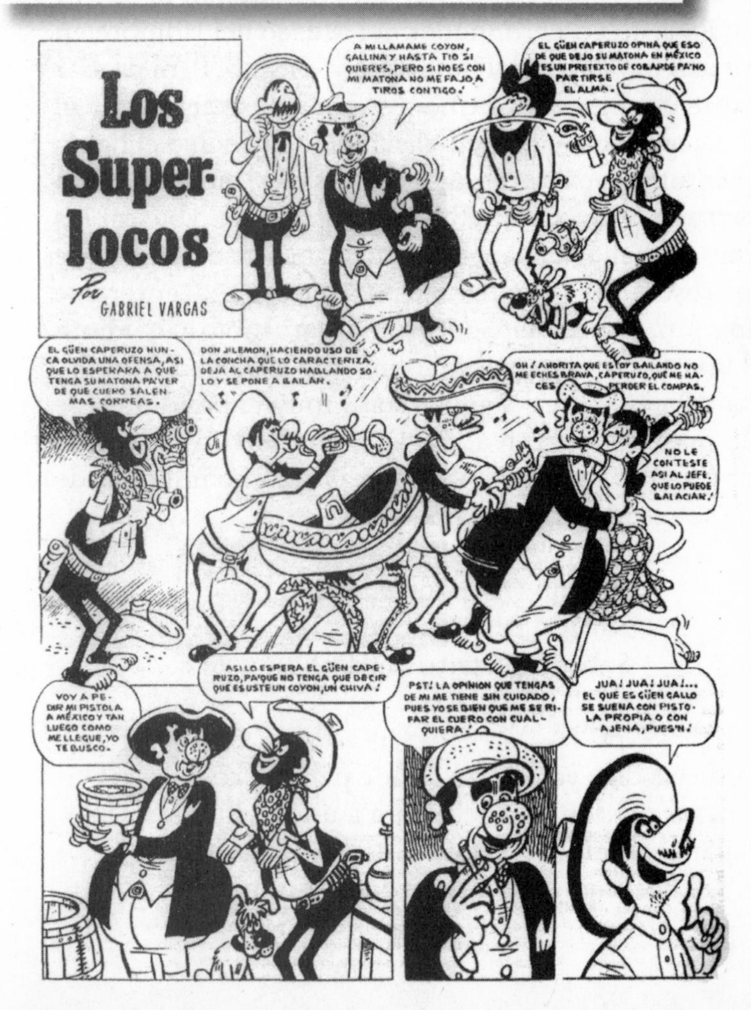


*Abajo: Página de* Los Superlocos, *historieta de Gabriel Vargas.*

Algunas de las páginas más notables de la prensa nacional son aquellas en las que todo se vuelve un relajo: los textos satíricos de Vicente Riva Palacio en *El Ahuizote,* las crónicas de Jorge Ibargüengoitia, las parodias introductorias y los comentarios al margen de la columna *Por mi madre bohemios,* de Carlos Monsiváis.

Incluso muchos de los personajes más importantes de la cultura nacional no se toman en serio ni a ellos mismos. La mitomanía de Diego Rivera es proverbial y debe entenderse como una forma sistemática de echar relajo. Muchas de las anécdotas que se cuentan sobre Rivera son falsas y tienden a alimentar la leyenda del pintor, pero eso no les quita valor como relatos o cuentos de humor. Se cuenta que en una ocasión el pintor debatió con Paul Rivet, el fundador del Museo del Hombre en París, sobre la antigüedad del hombre americano. Para probar que el hombre del "nuevo continente" era más antiguo que el de Eurasia, Diego afirmó que en el estado de Hidalgo él había visto unas pinturas rupestres muy antiguas que contaban cómo se había formado la luna. Paul Rivet, intrigado, fue a buscar las pinturas y no las halló; a su regreso, furioso, acusó a Rivera de ser un mentiroso. Cuenta un testigo presencial que al enterarse de la inculpación, el muralista declaró: "¡Claro! Sólo a un idiota como Paul Rivet se le ocurre tomar en serio a Diego Rivera".

En México la cultura del relajo está muy expandida y se practica de manera colectiva. En *Sábado Distrito Federal* el compositor Chava Flores hace la crónica de cómo millones de personas se sumergen en el relajo:

Sábado Distrito Federal,
Sábado Distrito Federal,
Sábado Distrito Federal,
¡Ay, ay, ay!

Desde las diez ya no hay dónde parar el coche,
ni un ruletero que lo quiera a uno llevar,
llegar al centro, atravesarlo es un desmoche,
un hormiguero no tiene tanto animal.

[...]
El que nada hizo en la semana está sin lana,
va a empeñar la palangana, y en el Monte de Piedad
hay unas colas de tres cuadras las ingratas,
y no faltan papanatas que le ganen el lugar.

Desde las doce se llenó la pulquería,
los albañiles acabaron de rayar,
¡Que *re'* picosas enchiladas hizo Otilia,
la fritanguera que allí pone su comal!
[...]
La burocracia va a las dos a la cantina,
todos los cuetes siempre empiezan a las dos,
los potentados al *Enjoy* con su charchina,
*pa'* Cuernavaca, *pa'* Palo Alto, ¡qué sé yo!

Toda la tarde *pa'l* café se van los vagos
otros al pókar, al billar o al dominó,
ahí el desfalco va iniciando sus estragos,
¿y la familia? ¡Muy bien, gracias, no comió!

Los cabaretes en las noches tienen pistas
atascadas de turistas, y de la alta sociedad,
pagan sus cuentas con un cheque de rebote
o "ahí te dejo el relojote, luego lo vendré a sacar"

Van a los caldos a eso de la madrugada
los que por suerte se escaparon de la Vial
un trío les canta en Indianilla, donde acaban
ricos y pobres del Distrito Federal.

Así es un sábado Distrito Federal...

En manos de un mexicano incluso el rígido orden del Olimpo griego puede degenerar en un relajiento burdel. Renato Leduc transforma el mito de *Prometeo encadenado* en su *Prometeo sifilítico:*

[Prometeo encadenado se dirige a los elementos]:
Éter sulfúrico, bebidas embriagantes,
claros raudales de tequila Sauza;
Vedme sujeto a pruebas torturantes
y sin saber siquiera por qué causa!
¡Oh *twenty dollars coin*
que ruedas mansamente
por el tapete azul del infinito;
vástago de Hiperión,
dios igniscente,
apaga los ardores de mi pito! [...].
Tierra nutricia, asfalto de la calle,
soñoliento gendarme de la esquina,
impide que la inquina
de Zeus Cronida sobre mí restalle...[143]

Para celebrar la hazaña de un equipo de futbol o un triunfo de la selección nacional, la multitud fanática se reúne alrededor del Ángel de la Independencia para echar relajo, para desahogarse; es célebre el grito de la masa que se destrampa: "¡Somos un desmadre!".

## La cultura del relajo

El *Diccionario de la Real Academia Española* define el relajo como "desorden, falta de seriedad, barullo; holganza y laxitud en el cumplimiento de las normas". En las sociedades muy rígidas el relajo es visto como un desfogue necesario y hay culturas que establecen tiempos y lugares para el relajamiento de las normas: en la Grecia antigua, la moral se distiende en las bacanales, y en el medioevo, durante el carnaval; en casi todos los pueblos hay cantinas y prostíbulos; en prácticamente todas las urbes hay zonas de tolerancia y hay países que tienen ciudades enteras dedicadas al negocio de echar relajo (como es el caso de Las Vegas en Estados Unidos).

La cultura mexicana del relajo tiene una larga tradición. El término "mitote" significa bulla, pendencia, alboroto, barullo o relajo y viene del vocablo azteca *mitotl* que quiere decir baile o fiesta, lo que hace pensar que los aztecas tenían, al menos, un tiempo y un espacio para el relajo. A partir de la conquista española, la cultura del relajo en estas tierras se confunde con la de España. Desde la reconquista del país de manos de los moros, la corona española se toma muy en serio el dogma católico y la iglesia española promueve una moral religiosa muy estricta; en este entorno severo florecen figuras adustas e intolerantes como Torquemada, san Ignacio de Loyola o Escribá de Balaguer, y escritores que canalizan toda su pasión hacia el misticismo y la fe religiosa, como san Juan de la Cruz o santa Teresa de Ávila. Pero al lado de unos cuantos ascetas intachables, místicos legendarios, santos respetables, inquisidores temibles y soldados de Cristo pululan millones de pícaros relajientos.

En la Nueva España la iglesia busca construir el nuevo reino de Dios en la tierra y para ello mantiene con rigor las ordenanzas del dogma católico y la Inquisición castiga con duras penas los más mínimos desvíos. Pero los imperios suelen utilizar a sus colonias como sus patios traseros; sacan de ellas lo que les interesa y les depositan lo peor que ellos tienen; sacan el oro y el petróleo y ponen basureros tóxicos. Del mismo modo, los ciudadanos del imperio suelen ir a sus colonias a disiparse, a hacer lo que no se atreven a hacer en casa (miles de jóvenes estadunidenses viajan a Cancún o Puerto Vallarta como *springbreakers*). Así, desde los tiempos de la conquista, a estas tierras llegan decenas de aventureros en busca de fortuna; muchos son pícaros redomados, hombres que vienen a hacer la América y a echar relajo. Durante siglos, los peninsulares vieron a América como un continente para el relajo, para el alboroto, el mitote, la bulla; el mestizaje creció de manera incontenible fuera de la santa institución del matrimonio y el crecimiento de la sociedad de castas se explica en gran medida por el relajamiento de la moral de los peninsulares avecindados en América (¿cuántos mulatos son hijos de una esclava y su patrón?). El romance novohispano de *Román Castillo* describe a un hombre "bueno", "noble" y "de gran corazón" que está dedicado al alboroto:

¿Dónde vas Román Castillo?
¿Dónde vas? pobre de ti.
Ya no busques más querellas
por nuestras damas de aquí.
Ya está herido tu caballo
ya está roto tu espadín
tus hazañas son extrañas
y tu amor no tiene fin.
[...]
Antenoche me dijeron
que pasaste por aquí.
Que llamaste siete veces
que el cancel querías abrir.
[...]
Ten piedad Román Castillo
ten piedad pobre de mí
Si persistes en tu vida
de dolor voy a morir.
[...]
Tú eres bueno, tú eres noble
hombre de gran corazón
pero que tu amor no manche
nunca mi reputación.[144]

Los mexicanos comparten la cultura del relajo con casi todo el mundo hispanohablante. En su ensayo *La idea de "alboroto" en castellano*, el filólogo Pedro Grases recopila, documenta y analiza una serie de vocablos utilizados en España e Hispanoamérica para definir diversas formas de relajo; son cientos y van desde la letra "A" (alborotamiento, alboroto, algarabía, algarada, algazara, altercado, anarquía, arrancasiega, arrebatiña, asonada, ataque...) hasta la "Z" (...zacapela, zafarrancho, zalagarda, zambra, zarabanda, zaragata, zinguizarra, zipizape, zuriza, zurra, zurribanda, zurriburri). Pedro Grases reflexiona sobre la cultura hispanoamericana del relajo:

> La historia del mundo hispanohablante ofrece un contraste de desorden al cotejarlo con la trayectoria de otros países. Parece que ello sea consustancial con la creación hispánica, como si actuar en sentido hispánico implicara verter vida a borbotones, sin cohesión social, sin concierto y disciplina. El desorden es tomado ya como algo típico y endémico del mundo hispánico, y efectivamente no deja de ser un buen criterio interpretativo de la historia de los pueblos de habla castellana [...]. Toda la historia hispánica ha sido una suerte de alboroto vital, un desorden creador, de enorme pujanza [...]. La riqueza de vocabulario castellano para expresar la idea de "alboroto, tumulto, pendencia, etcétera", da la razón a quienes consideran nuestras sociedades como entidades que viven en frecuente desorden.[145]

Quien es un desorden todo lo desordena, y el que es un desmadre todo lo desmadra. Desde hace años el desmadre, el desorden, el despapaye, el despiporre, el desbarajuste, el deschongue, el relajo, es visto como una conducta nociva consustancial al mexicano. Para muchos pensadores el relajo está en el origen de muchos de los males del país. A mediados de la década de 1940, un puñado de jóvenes influidos por las filosofías de compromiso, sobre todo por el existencialismo de Sartre, forman el grupo Hiperión, que se preocupa por esclarecer la propia realidad y se propone dilucidar racionalmente *al mexicano* y *lo mexicano*. Una de las mentes más lúcidas de esta agrupación es Jorge Portilla, y su obra más conocida, *Fenomenología del relajo,*[146] es un breve tratado sobre esta actitud. En su introducción, Portilla plantea que su ensayo es un intento de "comprender el relajo, esa forma de burla colectiva, reiterada, y a veces estruendosa, que surge esporádicamente en la vida diaria de nuestro país", y asienta que la importancia de este objeto de estudio reside en que "una forma de conciencia tan incidental y pasajera como la burla o la risa puede servir de clave para comprender los rasgos esenciales de la condición humana o para penetrar en la estructura espiritual de un pueblo".[147] El escritor confiesa que este tema le interesa porque los mejores representantes de su generación "vivieron en un ambiente de la más insoportable y ruidosa irresponsabilidad que pueda imaginarse", y "todos parecían incapaces de resistir la menor ocasión de iniciar una corriente de chocarrería que una vez desatada resultaba incontrolable y frustraba continuamente la aparición de sus mejores cualidades".[148]

Al profundizar en el tema, Portilla plantea que para *el mexicano,* el relajo es esencialmente una *conducta* cuyo sentido es "suspender la seriedad",[149] y define el relajo como "la suspensión de la seriedad frente a un valor propuesto a un grupo de personas".[150] En su tratado, las diferencias que existen en las actitudes del humorista, el ironista y el relajiento, Portilla concluye que "el hombre del relajo simplemente niega el valor en su interior y con ello se libera de toda tensión interna", y agrega que la "unidad del relajo" es "sólo la unidad abstracta y estática de una negación pura y simple, sin salidas, sin movilidad, sin perspectivas al futuro".[151]

Portilla se plantea "sacar la filosofía a la calle (que es su lugar natural) despojándola en lo posible de la cáscara 'técnica' que a veces la encubre".[152] Desde mediados de la década de 1950, el dibujante Abel Quezada hace cartones desbordados, relajientos, en los que consigue sacar a la calle el debate mexicanista y popularizarlo como nadie. En uno de sus más célebres cartones Quezada reflexiona que de todos los problemas *del mexicano,* el peor es... el propio mexicano, es decir, el hombre del relajo.

El relajo es, como lo plantea Portilla, una conducta, no una forma de humor o un género humorístico, pero al ser una conducta cuyo fin es suspender la seriedad, propicia la práctica del humor. Al ser una conducta compartida, el relajo es caldo de cultivo de la cultura humorística. Así, en México dentro del relajo han florecido dos lenguajes humorísticos colectivos —la cantinflada y el albur—, formas específicas de picaresca y decenas de tipos y arquetipos cómicos.

## LA TIERRA Y SUS DUEÑOS

EN ESTA CRISIS MUNDIAL DE ENERGÉTICOS, MATERIAS PRIMAS, Y CASI TODO, MÉXICO DEBERÍA ESTAR GANANDO Y NO PERDIENDO, SER RICO Y NO POBRE, FELIZ Y NO AGOBIADO POR LAS PREOCUPACIONES.

Y SI NO LO ES, CORRESPONDE SU IMAGEN AL CUENTO QUE DICE QUE, ESTANDO DIOS HACIENDO EL UNIVERSO, LLAMÓ A SU AYUDANTE Y LE ORDENÓ:

"A ESTE LUGAR ME LE PONES MUCHO ORO, MUCHA PLATA, MUCHO URANIO, MUCHO PETRÓLEO, MUCHO MAR, BELLAS MONTAÑAS, HERMOSOS RÍOS, EXTENSOS CAMPOS PARA EL GANADO Y LA AGRICULTURA, Y ENORMES BOSQUES".

EL AYUDANTE, SORPRENDIDO, LE DIJO: "PERO SEÑOR: ¿NO CREES QUE ES DEMASIADO? ¿NO CREES QUE ES INJUSTO DARLE A ESTA REGIÓN MÁS QUE A OTRAS?" Y EL SEÑOR RESPONDIÓ:

"NO TE PREOCUPES: PARA QUE SE EMPAREJE VAS A VER LA CLASE DE HABITANTES QUE LE PONGO" — Y LE PUSO A LOS MEXICANOS.

OCTUBRE 16-74

13

*Caricatura de Abel Quezada.*

## La picaresca mexicana y el pelado

De todas las formas de humor que han florecido en la cultura mexicana del relajo, la que tiene más tradición es la picaresca, la picardía. La picaresca mexicana es heredera directa de la picaresca española. Las novelas picarescas son obras a la vez moralizantes y satíricas que tienen una estructura abierta y cuyos protagonistas son pícaros, antihéroes que vienen de los bajos fondos y viven al margen de los códigos de honor que rigen la conducta de las clases altas de su tiempo. En un conocido *sketch*, el actor Germán Valdés, *Tin-Tan,* interpreta a un bravucón que llega a una cantina, y su *carnal* Marcelo Chávez al cantinero:

—Ajjaaaa. ¡A ver, aquí quién despacha! ¡Aquí, señor, un tequila!
—¿Qué quiere?
—Un tequila. Antes de que empiecen los trancazos.
—¿Sencillo?
—No, doble.
—¿Doble?
—No, no, mejor no doble.
—¿Sencillo?
—No, triple y antes de que empiecen los trancazos, sí señor.
—¿Triple?
—Triple.
—Ahí le va.
—Antes de que empiecen los trancazos. ¡Óraleee! (Le sirven el tequila.) ¡Salud! (El charro se toma su bebida de un golpe, tose e hipea.) Psss ¡Ay!
—Qué, ¿pateó?
—¿Más mezcla, *maistro*, o le remojo los adobes? A ver, otro tequila.
—¿Triple también?
—Sí, señor, y antes de que empiecen los trancazos.
—Bueno, ahí le va.
—Salud. ¡Ay!
—¿Otra vez?

—Otro tequila antes de que empiecen los trancazos.
—Oiga, ¿cuáles trancazos?
—*Pos* lo que va a haber.
—¿A qué horas?
—A la hora que se dé cuenta de que no tengo para pagarle.[153]

El pícaro reta a su suerte, busca cambiar su destino; sabe que el trabajo honrado no lo salvará y por lo tanto hace mil y un trabajos para no trabajar; sin embargo, esta actitud relajienta lo libera.

Con frecuencia los pícaros de la literatura española tienen altas aspiraciones; algunos buscan ascender en la escala social, hacer fortuna (es el caso de *El Buscón llamado Don Pablos*) y otros reformarse (es el caso de *Guzmán de Alfarache*). En cambio, los primeros personajes de la picaresca mexicana son parias que han sido despojados de todo, hasta de su cobija y su moral: son los pelados. La primera novela mexicana, *El Periquillo Sarniento*, de José Joaquín Fernández de Lizardi, se publica a principios del siglo XIX y narra las aventuras de un pícaro novohispano del siglo XVIII, un desharrapado, un pelado. Otra de las obras importantes de Lizardi es *Vida y hechos de don Catrín de la Fachenda*, una novela que cuenta las aventuras de un pícaro en el periodo de transición de la Colonia a la Independencia. Con frecuencia, los pícaros nacionales son ladinos, indios que emigran a la ciudad y adoptan costumbres occidentales para dejar su condición de ser inferior; creen que ascienden o pretenden ascender en la escala social; tal vez por esto, en México, el término "ladino" es sinónimo de listo, taimado, astuto, incluso mentiroso.

A pesar de los esfuerzos del ladino por superar su condición, en la Nueva España la movilidad social es inexistente y es imposible romper las barreras de la sociedad de castas, de modo que el ladino rara vez escapa a la marginalidad. En su *Estudio preliminar* sobre J.J. Fernández de Lizardi, Agustín Yáñez escribió que el pelado mexicano carece de la agudeza discursiva del pícaro español que fue "adquirida a fuerza de aventuras, ejemplos y observaciones prácticas".[154] Esto se puede explicar por el hecho de que el pelado de la Colonia nunca tuvo la posibilidad de vivir las aventuras que podía emprender un pícaro de la península (por ejemplo, nunca hubiera podido ir a buscar fortuna a otro continente); es marginal entre los marginales, lo que hoy llamaríamos un lumpenproletario tercermundista. Si la picaresca española retrata la marginalidad en el corazón del imperio, los pelados novohispanos recrean la marginalidad en la Colonia.

La figura del pelado trasciende la Colonia y ha llegado hasta nuestros días. En el periodismo de las primeras décadas del México independiente aparecen a cada rato los pícaros de todas las clases sociales y en los romances de Guillermo Prieto abundan los pelados:

> Al mostrador apoyados
> Se ven contestar dos bichos
> A uno llaman Juan el Cuate,
> Al otro el tuerto Porfirio
> Y van y vienen los tragos
> Y se va y viene el refino.[155]

Varios de los personajes más notables de la literatura nacional del siglo XIX son pícaros, como el *Martín Garatuza* de Vicente Riva Palacio que se hace pasar por sacerdote para robar a la iglesia. También los redactores de la prensa de a centavo cuentan las andanzas de decenas de pelados, y los grabadores populares los retratan con cariño.

En la primera década del siglo XX, en carpas y teatros de México algunos actores —como Anastasio Otero— empiezan a representar tipos populares nacionales como el payo de pueblo, el pelado citadino o el *teporocho* (el que toma un té con alcohol que se vende por ocho centavos). En la década de 1910, Leopoldo *El Cuatezón* Beristáin alcanza fama y popularidad interpretando a personajes cómicos inspirados en el populacho: rancheros ingenuos, ladinos y pelados. La Revolución pone al pueblo, a la masa popular, en el centro de la escena cultural nacional y eso se refleja en todos los niveles en el arte de la década de 1920. En el teatro de carpa adquieren popularidad varios cómicos que interpretan a léperos y peladitos; con el tiempo, algunos saltan

*Collage a partir de fotografías de Leopoldo* El Cuatezón *Beristáin interpretando sus personajes de carpa. Publicado en* La Risa.

a la pantalla grande para convertirse en estrellas del cine; éste es el caso de Manuel Medel, Mario Moreno *Cantinflas*, Amelia Wilhelmy y Delia Magaña (*La Guayaba* y *La Tostada*), Adalberto Martínez *Resortes*, Germán Valdés *Tin-Tan*, Manuel Espino *Clavillazo*, Joaquín García *Borolas*, Fernando Soto *Mantequilla*... La lista es larga. En la televisión diversos actores han retomado también el personaje del pelado con calidades muy desiguales: desde Gaspar Henaine *Capulina*, hasta Liliana Arriaga *La Chupitos*, pasando por Roberto Gómez Bolaños *Chespirito*, en su papel de *El Chavo del Ocho*.

Las historietas mexicanas son ricas en pícaros traviesos de todas las edades y clases sociales, desde *El Malora Chacamotas*, de Fernando Leal, hasta el *Chupamirto*, de Jesús Acosta, pasando por *Adelaido el Conquistador*, de Juan Arthenack, *Don Jilemón Metralla y Bomba* y la *Borola Burrón*, de Gabriel Vargas.

A lo largo del siglo XX la literatura picaresca mexicana produce piezas tan notables como *Pito Pérez*, de José Rubén Romero, *Chin Chin el teporocho*, de Armando Ramírez, o *El vampiro de la colonia Roma*, de Luis Zapata, por citar sólo algunas.

La mayoría de los estudiosos de la picaresca mexicana se centran en la figura del peladito; sin embargo, la cultura nacional ha dado pie a una forma de picaresca muy particular: la del pícaro exitoso, el que, gracias a su astucia, logra trascender su condición de paria callejero para conquistar dinero y poder.

## Picaresca de la corrupción

Entre las grandes figuras de la picaresca mexicana, justo después de los pelados están los políticos. El pícaro que llega al poder tiene tradición en estas tierras. La picaresca de la corrupción en México viene de la época colonial; algunos notables peninsulares pagaban fuertes cantidades de dinero para venir a trabajar a la Nueva España porque la empresa garantizaba un enriquecimiento rápido y considerable, y por lo tanto ejercían una autoridad arbitraria y rapaz. Entre la gente que vino de la península a probar fortuna, a *hacer la América*, arribaron varios

*Resortes. Caricatura de José Hernández publicada en* Pantalla de cartón, *CUEC-UNAM, 2008.*

pícaros rapaces y voraces. Algunos llegaron a ocupar cargos muy importantes. El virrey Miguel de la Grúa Talamanca y Branciforte, que gobernó la Nueva España entre 1794 y 1798, usó su poder para enriquecerse, vendió puestos públicos, grados y favores, y usurpó la fortuna de varias familias, todo esto bajo la sombra protectora de Godoy en la vieja España. Unos versos dan cuenta de su rapacidad:

Aunque el mismo infierno aborte,
Escogido un condenado
No podrá ser tan malvado
Que te iguale, Branciforte
[...]
Ladrones hay con ganzúa,
Con sogas y con escala
Con puñales y con balas...
¿Alguno te ha competido?
¡No! Que ninguno ha tenido
(tú sí) de Godoy las alas.[156]

A pesar de que la iglesia pretendía construir en estas tierras americanas el verdadero reino de Dios, muchos de los españoles encumbrados no respetaban ni a la Inquisición. Cuenta una leyenda que en 1767 a unos eclesiásticos que fueron a imponerle la ceniza en la frente, el virrey Marqués de Croix —que al parecer estaba borracho— les espetó: "A mí no me tiznan curas ni en miércoles de ceniza". Cuando el funcionario fue citado a rendir cuentas por este desacato ante la Santa Inquisición, éste se presentó con un batallón de soldados que tenía instrucciones de disparar sobre el edificio si no lo dejaban salir pronto (y lo soltaron rápido).[157]

En las primeras décadas del México independiente, durante la larga guerra entre liberales y conservadores, a la sombra de cuartelazos, dictaduras personales y asonadas, la corrupción de funcionarios fugaces y oportunistas floreció de manera alarmante. Para hablar de los vicios de políticos y burócratas, el populacho retomó varios términos populares españoles e inventó algunos localismos; se hablaba de la empleomanía (de la manía de vivir del erario); de los pancistas (de los que anteponen los intereses de su panza a los de su patria); de los gatos (de los engaños); de equilibristas y maromeros (de los políticos oportunistas).

Cuando llegan al poder, los pícaros pueden ser funcionarios disparatados y poco confiables. El populacho comparaba a Antonio López de Santa Anna, quien fue el hombre fuerte de México durante más de una década, con *Don Juan Tenorio;* un poeta anónimo describe al caudillo:

De Santa Anna y Satanás
Son de una misma opinión,
Uno azote del infierno
Y el otro de la Nación.[158]

A mediados del siglo XIX liberales y conservadores libran una guerra descarnada por el poder; una buena parte de este conflicto se dirime en el terreno de la propaganda política, y los escritores y dibujantes de ambos bandos se engarzan en duelos satíricos en los que unos y otros se lanzan todo tipo de acusaciones, insultos y burlas. En las filas de los liberales militan humoristas de la talla de Ignacio Ramírez, Guillermo Prieto, Vicente Riva Palacio e Ireneo Paz, quienes publican cientos de sátiras y versos memorables. La canción satírica de contenido político gustaba a los liberales y resultaba sumamente eficaz contra los conservadores, a quienes llamaban *cangrejos* por su costumbre de ir siempre hacia atrás, contra el avance de la historia. En 1854, Santa Anna convoca a un concurso para escribir el himno nacional; los escritores conservadores redactan versos en los que elogian al caudillo. El ganador del concurso, Francisco González Bocanegra recita:

Del guerrero inmortal de Zempoala
Te defiende la espada terrible,
Y sostiene su brazo invencible
Tu sagrado pendón tricolor.[159]

Al mismo tiempo, Guillermo Prieto, que ha sido desterrado de la Ciudad de México por el dictador, envía al concurso su *Marcha de los cangrejos* en la que se pitorrea de los conservadores y de Santa Anna:

Cangrejos, al combate,
cangrejos, a compás;
un paso *pa'* delante,
doscientos para atrás.

ESTROFA
Casacas y sotanas
dominan dondequiera,
los sabios de montera
felices nos harán.

ESTRIBILLO
¡Zuz, zis, zaz!
¡Viva la Libertad!
¿Quieres Inquisición?
¡Ja-ja-ja-ja-ja-já!
Vendrá "Pancho membrillo"
y los azotará.
[...]
De lo alto del palacio
soldado matasiete,
poniéndose un bonete
se le escuchó exclamar:
¡Cangrejos para atrás![160]

Los escritores satíricos del bando conservador también tienen lo suyo y se mofan de los excesos y errores de los liberales, a quienes también acusan de pícaros y abusivos. En *El Estandarte Nacional*, Aguilar y Marocho publica estos versos en los que se burla del episodio en el que el liberal Juan José Baz (apodado *El Delfín*), entra a caballo a la catedral para detener al arzobispo:

Camisa nácar con vuelo,
chaquetín hasta el fondillo,
la corbata con anillo,
revuelto el dorado pelo,
con la espada hiriendo el suelo,
de calzonera y botín,
sombrero a la espadachín,
bigote y pálida faz...
¿Quién es? Es Juan José Baz [...]
Fija cual buen General
su primera paralela
en medio de la plazuela
para sitiar Catedral [...]
Previene que haya desmocha,
si resisten sin empacho
el señor del Buen Despacho
o el Santo niño de Atocha.
Una culebrina mocha
apunta a San Valentín,
un obús a San Martín,
y diez pistolas de muelles
a los pobres Santos Reyes...[161]

Durante el imperio de Maximiliano los conservadores mexicanos hacen gala de una cortesanía afectada que es motivo de las burlas más sangrientas por parte de los escritores liberales. En el periódico *El Monarca,* Prieto, Ramírez, Riva Palacio y otros utilizan pseudónimos como *El Marqués de Acuchi* o *El Conde de los Chiles Verdes.* Cuando el Segundo Imperio entra en franco declive, Carlota Amalia, la esposa del emperador Maximiliano parte desesperada a Europa en busca de ayuda. El episodio incita a Vicente Riva Palacio a escribir su *Mamá Carlota:*

De la remota playa
te miran con tristeza
la estúpida nobleza
del mocho y del traidor.

En lo hondo de su pecho
ya sienten la derrota.
¡Adiós, mamá Carlota!
¡Adiós mi tierno amor![162]

Al final de la guerra civil, con el triunfo de los liberales sobre los conservadores, en la República Restaurada Benito Juárez puso en práctica la austeridad republicana. Sin embargo, en su afán por consolidar un Estado nacional, Juárez y sus sucesores fortalecen el presidencialismo y a la sombra de éste florecieron vicios que después serían endémicos en el sistema político mexicano: el palomeo de candidatos, la farsa electoral, la sumisión del Congreso al ejecutivo... Durante la larga dictadura porfirista estos vicios se hicieron cada vez más inocultables y dieron pie a la formación de una clase política cortesana y acomodaticia que alcanza su esplendor en el porfiriato.

La Revolución mexicana de 1910-1920 sacudió a todo el país. Muchos caudillos rebeldes eran gente principista e intachable, pero otros mantenían viva la manía del saqueo. Carranza y su entorno tenían fama de ser logreros, oportunistas y hasta ladrones. Las tropas carrancistas "expropiaban" cuanta cosa encontraban a su paso. Desde entonces, el pueblo utiliza el verbo "carrancear" para denominar el robo impune. El general Álvaro Obregón perdió un brazo en la batalla de Celaya y se dice que afirmaba que él era el presidente más confiable que había tenido México pues sólo tenía una mano para robar.

El gobierno surgido de la Revolución conservó muchas de los vicios, estructuras y aparatos del antiguo régimen, sin embargo, "la bola" revolvió todo y abrió las puertas a la movilidad social. Por primera vez en décadas muchos líderes populares tuvieron la posibilidad de ser funcionarios públicos o diputados. Muchos ascendieron por mérito propio, otros por oportunismo, otros más por pura chiripada. A mediados del siglo XX el régimen de la Revolución mexicana se consolidó (al parejo de las mañas de los priistas) y la clase política terminó por cultivar una picaresca llena de cinismo en la que se acuñaron frases como estas: "Vivir fuera del presupuesto es vivir en el error", "El que no transa, no avanza"; "Amistad que no se refleja en la nómina es mera demagogia"; "Todo, todo antes que la renuncia"; "Yo estoy con el candidato porque le debo muchos favores... y pienso deberle más"; "De que lloren en mi casa a que lloren en la de otros, que lloren en la de otros".

Son muy conocidas las puntadas del presidente Ruiz Cortines: en una ocasión, ofreció apoyar a un amigo suyo que aspiraba a ser gobernador y luego le dio la candidatura al rival de su cuate; cuando éste le fue a reclamar la traición, el mandatario lo recibió diciéndole: "¡Nos ganaron, compadre!".

En algunos casos, esta picaresca se ha incorporado al comportamiento cotidiano del político y se ha convertido en una forma de vida, por lo que el anecdotario de la picaresca de la corrupción nacional es extenso y el repertorio del político pícaro variado. Un testigo presencial refiere la siguiente historia:

> Un político menor aspiraba a un cargo de dirección. A la reunión en la que se decidía su nombramiento llegó un colega que había prometido apoyarlo y lo echó de cabeza: "Fulano es mi amigo, lo conozco bien. Es de esos cuates que, cuando se te poncha la llanta del carro y le pides ayuda llega... y te poncha las otras tres llantas".
>
> Tras perder la contienda, el político despechado se fue a una cantina a lamerse las heridas. Por azar llegó al local el que lo había traicionado quien, emulando a Ruiz Cortines, le dijo: "Ni modo, mano. Nos ganaron". El perdidoso enfureció, se llamó traicionado y reclamó: "No te hagas pendejo, si el que me acabó de chingar fuiste tú". El otro ni se inmutó y remató: "¿Cómo, no se entendió lo que dije?".
>
> La historia no acaba ahí. El traidor invitó al traicionado a disolver sus penas en alcohol, bebió con él y al final pidió que les trajeran "unas putas", a pesar de que su colega, ya muy borracho, se rehusaba a seguir la juerga. Cuando trajeron a las muchachas, el político gandalla se fue dejando a su víctima con dos prostitutas que no quería y con una cuenta enorme que pagar.

Muchos de los usos y costumbres del régimen presidencial priista eran violatorios de la Constitución y de la voluntad ciudadana; por ejemplo, durante décadas en todos los estados de la República los candidatos a gobernador (también conocidos como "tapados") del PRI eran designados por el presidente (en una operación conocida popularmente como "el dedazo") y las fuerzas vivas acataban la decisión y se sumaban en tropel a la candidatura (lo que se conocía como "la cargada"); la elección era un mero trámite en el que la oposición, cuando la había, no tenía ninguna posibilidad de éxito (y si por algún accidente llegaba a ganar, le hacían fraude). Desde hace décadas, en la clase política mexicana circula esta historia de tapados, dedazos y cargadas:

En un estado del trópico mexicano, las fuerzas vivas del PRI se reunieron para apoyar a su candidato a gobernador. El problema es que no sabían quién era el bueno, pues dos políticos se disputaban el nombramiento: Godínez y Ramos. El maestro de ceremonias era partidario de Godínez, pero de Los Pinos llegó la orden de destapar a Ramos y, muy a contra corazón empezó un discurso laudatorio y muy rastrero a favor del hombre que no era su candidato:

—¡Compatriotas!, ¡Conciudadanos! ¡Compañeros de partido! Estamos aquí reunidos para hablar de ese gran mexicano, de ese genial estadista que es Ramos. Porque Ramos es el hombre que puede salvar a nuestro estado de... (y así siguió durante largo rato).

A medio discurso, el orador recibió una tarjeta que daba la contraorden: el bueno era Godínez. El disertador no se detuvo y le preguntó a su auditorio:

—¿Oyeron todo lo que dije de Ramos?

Y el auditorio, eufórico, respondió a coro:

—¡¡¡Sííííí!!!

Y el orador remató:

—¡Pues al lado de Godínez, Ramos no es más que un pobre pendejo!

Otra historia refiere que

> En una ocasión, un militante de la izquierda aceptó hacerle los discursos a un senador del PRI. El legislador le pidió a su amanuense que le escribiera algo dirigido a los campesinos. El izquierdista, lleno de culpas por sumarse al sistema y en una actitud provocadora, escribió un discurso marxista radical que hablaba de dialéctica, lucha de clases, documentaba la situación del agro mexicano y prácticamente llamaba a la insurrección. Con un aire retador, le dio el texto a su jefe quien, tras leerlo cuidadosamente le dijo: "Está muy bien. Ponle más de eso que no se entiende".

Por supuesto, al lado del cinismo y la picaresca política, en México se cultiva la sátira política desde tiempos de la Colonia. Desde el siglo XIX en la prensa mexicana se cultiva un periodismo satírico, de compromiso, muy inspirado en el modelo francés y que critica de manera persistente la corrupción y su picaresca. La historia de la caricatura y la sátira política en nuestro país es en realidad una denuncia sistemática y una crónica histórica de la picaresca de la corrupción.

Para cuidar su imagen de la crítica, el régimen caudillista mexicano —desde los tiempos de Santa Anna hasta los de Felipe Calderón— es solemne al extremo y exige respeto absoluto a la vez que cultiva la picaresca de la corrupción. Durante mucho tiempo, criticar al presidente, al gobernador o a un alto funcionario fue causal de encarcelamiento (como el caso de Siqueiros con López Mateos); en especial, en la era presidencialista del PRI, burlarse del primer mandatario era un insulto de lesa patria y una caricatura agresiva era impublicable. Este sistema de valores que mantiene al mismo tiempo la picaresca corrupta y un discurso grandilocuente y severo, ha dado como resultado que en diversas épocas de la historia de México, los personajes más cómicos del país no hayan sido ni los escritores satíricos ni los caricaturistas ni los mimos, sino los políticos.

Con demasiada frecuencia, la comicidad de estos personajes es involuntaria. En una entrevista realizada en 1989, el escritor Carlos Monsiváis asienta:

Sólo quien tiene un corazón de piedra no se divierte con los diputados que condenan la ilegalidad como si ellos no fueran (como lo son) producto del fraude cínico; con el secretario del Trabajo, cuyo segundo oficio es defender verbalmente a los obreros de las medidas que él mismo instrumenta [...]. Vivimos ahogados en la parodia involuntaria.

En una de las columnas políticas más gustadas de México, *Por mi madre bohemios*, el propio Monsiváis hace una recopilación de las burradas que suelen declarar los prohombres del momento y las adereza con breves comentarios sarcásticos. Ahí se han recopilado joyas de humor involuntario como estas:

En la Central de Trabajadores de México somos más marxistas que el papa.

En el Estado de Guerrero, los únicos que se quejan son los pobres (que constituyen más del 80% de la población).

¿Dedazo a mí? Dedazo el de Calígula, que nombró senador a su caballo.

El político mexicano es cínico, caradura y rara vez se ha regido por aquella máxima que supone que "el miedo al ridículo corrige conductas". Al no corregir sus conductas, los políticos se parecen cada vez más a sus chistes y caricaturas. Nada se parece tanto a un diputado corrupto de los que dibujaba Rius en los sesenta como un diputado corrupto de los setenta. Con el tiempo, la caricatura sustituye al funcionario en el imaginario colectivo y acaba desgastando su imagen.

La picaresca de la corrupción en México es tan fuerte que ni siquiera los grupos de la oposición escapan de ella. Son clásicos los videoescándalos en los que un miembro de un partido de izquierda, el Partido de la Revolución Democrática (PRD) negocia favores a cambio de dinero con un empresario de la construcción. La caída del PRI y la llegada a la presidencia del derechista Partido Acción Nacional (PAN) está lejos de haber acabado con esta cultura corrupta que ha dado casos de impunidad tan notables como los de Carmen Segura, Juan Camilo Mouriño, Mario Marín, *El Góber Precioso*, Eduardo Bours o los hermanos Bribiesca. La única diferencia de fondo entre el régimen priista y sus sucesores es que los primeros actuaban con gran cinismo y los segundos con profunda hipocresía. Los mismos chistes que se le aplicaban al PRI se aplican hoy a los funcionarios panistas.

La picaresca de la corrupción puede ser considerada un subproducto de la cultura política del saqueo y del despojo que se estableció en estas tierras en la época colonial, cuando *hacer la América* era una de las pocas formas que tenía un español común para ascender en la escala social. Está también íntimamente relacionada con la cultura autoritaria machista que presupone que el que tiene el poder tiene todos los derechos, incluso el de abusar. Finalmente, es también un subproducto de la cultura del relajo en la que hasta los cargos de mayor responsabilidad pueden ser asumidos sin ninguna seriedad. De este modo, se disculpa que jueces, médicos, funcionarios, empresarios y hasta presidentes, todos echen relajo, que rompan las más elementales reglas de la ética.

La picaresca de la corrupción se filtra a varios niveles en la sociedad mexicana. Una historieta clásica de Abel Quezada explica que el comercio en México es un juego constante de engaños: el comerciante engaña al granjero pagándole un pollo en menos de su valor; el granjero había engañado al comerciante pues le vendió un animal enfermo; el pollo muere y el comerciante engaña al inspector de salubridad con una mordida; el inspector de salubridad engaña al comerciante pues era un falso inspector; el comerciante vende el pollo a un cliente que muere intoxicado; el cliente se salió sin pagar, por lo que engañó al comerciante.[163]

La picaresca de la corrupción es una tragedia nacional; es un mal que viene del poder y afecta a todos. Está detrás del auge de la corrupción, la delincuencia y demás horrores. Es, con mucha frecuencia, una venganza contra el resto de la sociedad.

## Los lenguajes del relajo

Es falso, tal como afirmó Agustín Yáñez, que el pelado nacional carezca de agudeza discursiva. La tiene y si no se le reconoce es porque sus discursos son, como el habla de los bajos fondos, cerrados: hablan en clave. Los pícaros hacen y dicen picardías y los pelados, peladeces. Uno de los libros más populares del México del siglo XX es la *Picardía mexicana*, de Agustín Jiménez; este texto recoge todo tipo de anécdotas, letreros en camiones y mingitorios, retruécanos, chistes y adivinanzas albureras. Los pelados mexicanos no tienen aspiraciones de respetabilidad social ni ética; no pretenden hablar con corrección ni hacer disquisiciones moralistas profundas, usan el lenguaje para jugar con él, para echar relajo. Así, los pelados mexicanos han desarrollado dos lenguajes del relajo que son parte importante de la cultura humorística nacional: la cantinflada y el albur.

### 1. La cantinflada

En una clásica escena de la película *Ahí está el detalle,* Mario Moreno, *Cantinflas*, representa a un pícaro vagabundo urbano, a un vividor glotón, parlanchín y libidinoso que corteja a la sirvienta de una lujosa mansión. En esta comedia de enredos, a petición de su novia, Cantinflas mata al *Bobby,* el perro de la casa y es detenido y acusado injustamente por el asesinato de un chantajista apodado *El Bobby.* En el juzgado, el vagabundo está flanqueado por dos policías, con los que discute:

CANTINFLAS: —¿A qué horas llegará el señor juez?
POLICÍA 1: —¿Quién sabe?
CANTINFLAS: —¿A dónde fue?
POLICÍA 2: —¿Qué le importa?
CANTINFLAS: —¿Cómo que qué me importa? ¡No me falte usté al respeto, señor, no soy cualquier cosa, señor, soy el acusado! Total, si no va a venir, hubiera dicho y mando a otro en mi lugar... no que en esta forma nomás está uno perdiendo el tiempo. Hombre,

no hay derecho, falta de educación. Yo afuera tengo otro detalle. N' hombre, así no se porta uno con la gente. Total, yo voy por él y regreso...
POLICÍA 1: —Siéntese ahí y cállese la boca.
CANTINFLAS: —A la salida nos vemos, chatos.

Cuando llega el juez, éste ordena que le tomen la protesta al acusado:

AYUDANTE DEL JUEZ: —Póngase de pie el acusado.
CANTINFLAS: —Muchas gracias, así estoy bien.
JUEZ (gritando): —¡Póngase de pie!
CANTINFLAS: —Bueno, hombre, nomás sin enojarse.
JUEZ: —¡Por enésima vez, lo conmino a que guarde respeto!
CANTINFLAS: —¿Qué va uno a guardar, hombre, si aquí no se puede guardar nada. —¡Ya me volaron el dinero y hasta la levita!

El agente del Ministerio Público interroga al acusado:

AGENTE DEL MINISTERIO PÚBLICO: —Pasaré a demostrar lo del nombre falso. Vamos a ver, amiguito, ¿cuál es su gracia?
CANTINFLAS: —La facilidad de palabra.

Desgraciadamente para el indiciado, su facilidad de palabra sólo sirve para enredar las cosas. Durante el resto del juicio el acusado complica su situación cada vez que habla, al punto que, en un momento dado, su abogado defensor se ve obligado a taparle la boca mientras trata, desesperadamente, de salvarlo. Finalmente, el enredo se aclara; Cantinflas contagia su dislalia a todos los presentes y lo que amenazaba con ser un juicio serio y severo acaba en desorden; la disciplina se relaja, todo deriva en relajo y el acusado es absuelto.

En esta película, los monólogos de Cantinflas fueron escritos por Juan Bustillo Oro a partir de las enloquecidas declaraciones de un famoso criminal de la época (Álvaro Chapa); sin embargo, la facilidad de palabra del cómico era enorme y era sabido que en las carpas y en otras películas Mario Moreno improvisaba sus cantinfladas. Improvisar un parlamento cómico no es fácil y todo comediante que se dedica a la improvisación trabaja sobre bases muy sólidas: tiene un personaje muy armado y lógicas muy estructuradas. Detrás del personaje de Cantinflas y del lenguaje cantinflesco hay mucha historia y densidad cultural.

El personaje de Cantinflas viene de tres tradiciones de la picaresca: el pícaro hablantín —personaje clásico de la picaresca española—, el pelado —arquetipo primero de la picaresca mexicana— y el discurso dislálico —recurso cómico utilizado en México desde hace siglos y típico de la picaresca del poder.

## *El pícaro parlanchín*

El arquetipo del cómico hablantín es clásico en la literatura occidental y fue muy socorrido en la literatura del Siglo de Oro español: Cervantes lo utiliza en el entremés *Los habladores* y su célebre Sancho Panza, el escudero de *El Quijote* está moldeado en este arquetipo. El pícaro verborreico es típico de la picaresca española. *Guzmán de Alfarache*, el *Lazarillo de Tormes* y *El Buscón llamado don Pablos* utilizan su labia para enrollar a sus víctimas y hacer travesuras.

En el continente americano, el arquetipo español del pícaro hablantín se revitaliza y enriquece con el contacto de los pueblos indios y sus cientos de lenguas y dialectos. País de indios en donde las lenguas indígenas no son respetadas y donde el castellano se impone en los hechos como el único idioma legítimo, los ladinos, los mestizos, los marginados juegan con el lenguaje y disfrutan la dislalia y la confusión dolosa. El personaje del pelado dislálico y verborreico es típico de estas tierras americanas. Ya en el siglo XVII, Sor Juana Inés de la Cruz describe a un personaje que aturde a todos con su hablar confuso, que crea el caos con su discurso:

> Si coges la parola, no hay *urraca*
> que así la gorja de mal año *saque*;

y con tronidos, más que un *triquitraque*,
a todo el mundo aturdes cual *matraca*.
Ese bullicio todo lo *trabuca*,
ese embeleso todo lo *embeleca*;[164]

Estos habladores traviesos, que existen desde la Colonia, siguen pululando a principios del siglo XXI. En México, el arquetipo del cómico dislálico es eficaz porque está inspirado en personajes reales, en tipos de pueblo que juegan con el lenguaje haciéndose bolas con él. En 2008, un merolico se trepa a un vagón del metro del DF para vender un manual de redacción:

¡Editorial Práctica viene a ofrecerle, hasta la comodidad de su asiento, este utilísimo *Manual de Redacción,* donde usted podrá aprender la ortografía, la sintaxis, las reglas de puntuación y los acentos. Aquí podrá usted aprender todo lo que usted necesita saber sobre los diptongos, los triptongos, los cuatritongos y todos los tongos del mundo!

Asimismo, en el puesto de un mercado, la vendedora con una sonrisa pícara vende una piñata de un tal *Chiquiliro,* que resulta ser el personaje de la película infantil *Chicken Little,* y otra con la figura de la *Pre-Bella,* que representa a la Plebeya de la película *Barbie y la plebeya*.

Inspirados en personajes populares reales, diversos cómicos mexicanos han desarrollado un gran variedad de pícaros parlanchines; es el caso de Palillo, Cuca la Telefonista, Tin-Tan. Además, la cantinflada se renueva y actualiza año con año. En la década de 1940, Tin-Tan y los pachucos de pueblo actualizan el hablar cantinflesco con sus pochismos: "¿Juásamara con la doga?, run *p'acá*, run *p'allá*". En la década de 1960, en la televisión el dueto cómico Los Polivoces canta en idioma pleonásmico:

Yo quiero preguntarte una pregunta
Y quiero me contestes con una contestación.

Yo te responderé con mi respuesta
Y si me entiendes, quedaremos entendidos.[165]

Desde la década de 1980, la actriz de teatro Jesusa Rodríguez puede hablar largo rato en ese lenguaje al que le dicen el "Dice":

> "Digo" —le dije, le dije— y que me dice, me dice: "¿Cómo dices?". "Pos lo que digas", le digo y que me dice, me dice: "Pero luego no andes diciendo, porque el otro día te dije que no dijeras y que les dices a todos y entonces yo les tuve que decir que yo no había dicho eso. "¿Ah sí, pos quién dice?", me dice, me dice y le digo: "¿No te digo?", le digo. —Y me dice, "*Pos* tú dirás lo que quieras, pero luego no andes diciendo que yo te dije que te dijeron porque no dije..."[166]

Cantinflas es el más conocido de los cómicos parlanchines mexicanos, pero no es el único; es heredero de una larga tradición y tiene muchos parientes cercanos; asimismo, hay diversas formas de cantinflada.

### *El pelado urbano*

El personaje de Cantinflas está inspirado directamente en el arquetipo del pelado urbano. En la América española, el pícaro parlanchín con frecuencia adquiere un sesgo racial, de castas;

es encarnado comúnmente por el pelado, por el ladino, por el indio que abandona su pueblo para sobrevivir en la ciudad. Este personaje ha sido muy tratado en la literatura nacional. La primera novela mexicana es *El Periquillo Sarniento*, de Lizardi, cuyo personaje central es un miserable callejero que habla como perico. La literatura mexicana del XIX abunda en pícaros habladores y muchos de los personajes cómicos populares que interpretan los cómicos de carpa de principios del siglo XX son parlanchines de pueblo o barriada.

En 1927 el periódico *El Universal* publica *Vaciladas de El Chupamirto,* una tira cómica escrita por J. Collantes y dibujada por Jesús Acosta, que cuenta las andanzas de un teporocho, un pelado, un indio ladino de barrio bajo que viste con camiseta, pantalones caídos, faja y gorra. *El Chupamirto* tiene éxito y pronto varios cómicos de carpa, entre ellos José Muñoz Reyes y Mario García lo llevan al teatro. En 1928, la cómica Amelia Wilhelmy, *La Willy*, inventa el personaje de *Juan Mariguano*, un soldado —medio alcohólico, medio pacheco— que habla de manera incoherente de sus supuestas hazañas revolucionarias. En la década de 1930 el pelado dislálico se consolida como un arquetipo mexicano: *Pito Pérez*, el personaje central de la novela de José Rubén Romero es un pícaro de pueblo que tiene parlamentos verborreicos que desesperan a las autoridades; por esos años, el cómico Manuel Medel tiene gran éxito interpretando personajes populares que lanzan discursos divertidos que juegan con el lenguaje, como este que dio en el *Teatro Politeama:*

Chupamirto. *Historieta de Jesús Acosta.*

> Respetable público: Voy a permitirme echarles un "spich", pero ni crean que un estornudo o un perro Spitz, no, un "spich", vamos, una plática breve. El tema será nuestra brillante temporada del Politeama. Porque no cabe duda, el negocio ha pegado. ¿Y saben por qué ha pegado...? Por la cola... Por la cola que siempre hay en la taquilla [...] Decididamente el Politeama está de moda. No les digo más, las mujeres ya no se hacen llamar como antes Santa, Greta o Nancy, sino que se ponen el nombre de Polly. Y todo para poderle decir a su adorado tormento: "Polly te ama".[167]

De toda la camada de cómicos que representan tipos populares a imagen y semejanza de *El Chupamirto* destaca Mario Moreno, quien hacía pareja con Estanislao Schilinsky. Según cuenta Schilinsky en una ocasión, en una carpa, Mario Moreno se puso tan nervioso que olvidó sus parlamentos; para salir del apuro empezó a improvisar incoherencias; la gente le empezó a aplaudir, el cómico continuó y terminó siendo ovacionado. Según testigos, Mario Moreno tomó esta forma de hablar de un personaje del pueblo y, según confiesa el propio mimo, el nombre lo tomó de un espectador que le gritó: "¡Cantinflas!" (es decir, ¿cuánto inflas, cuánto bebes?).

Cantinflas representa al paria, al teporocho, al que no tiene nada, al desamparado que busca protegerse con sus escasos recursos retóricos, al pícaro que enreda y se enreda con lo que dice; el pelado al que sólo le quedan para defenderse su ingenio y su media habla; un ladino que usa su ingenio para enredar. Lo importante de los parlamentos cantinflescos no es lo que se dice, sino que no se dice nada, que se echa relajo con las palabras; en la cantinflada lo importante no es el sentido de las palabras sino el sinsentido.

### *La cultura del discurso confuso*

Pero el discurso cantinflesco no siempre es un total sinsentido y resulta una parodia eficaz de los discursos de los políticos mexicanos. En su primer periodo, el humor de Cantinflas —como el de Chaplin— suele criticar la injusticia social, y en más de una ocasión sirve para hacer escarnio del discurso demagógico de los políticos. Alguna vez el poderoso líder sindical Luis N. Morones retó a Lombardo Toledano a debatir, y éste, despectivo, mandó a Morones a discutir con Cantinflas. El cómico decidió terciar en la polémica con un discurso improvisado que no tiene desperdicio:

> ¡Ah!, pero que conste que yo tengo momentos de lucidez y hablo muy claro. ¡Y ahora voy a hablar claro!... ¡Camaradas! Hay momentos en la vida que son verdaderamente momentáneos... ¡y no es que uno diga, sino que hay que ver! ¿Qué vemos? Es lo que hay que ver... Porque, qué casualidad, camaradas, que poniéndose en el caso —no digamos que pueda ser— pero sí hay que reflexionar y comprender la fisiología de la vida para analogar la síntesis de la humanidad... ¿Verdad? ¡Pues ahí está el detalle!
>
> Por eso yo creo, compañeros, en lo que estarán ustedes de acuerdo, que si esto llega... ¡Porque puede llegar!... y es muy feo devolverlo... ¡que hay que mostrarse como dice el dicho! (Ojalá me acordara de lo que dice el dicho...) Por lo tanto, espero que así como yo estoy de acuerdo en algo que no me acuerdo, debemos estar todos unidos por la unificación de la ideología emancipada que lucha... ¿por qué lucha, camaradas?
>
> Si nomás hay que ver... ustedes recordarán el 15 de septiembre... que hasta cierto punto no tiene nada que ver aquí... pero hay que prepararse porque ya se acerca... y así es la vida y así soy o...
>
> Y, ¿cómo soy yo, compañeros?
>
> ¡Obrero! Proletario por la causa del trabajo que cuesta encauzar la misma causa... ¡Y ahora hay que ver la causa por lo que estamos así!
>
> ¿Por qué han subido los víveres?
>
> Porque todo ser viviente tiene que vivir o sea el principio de la gravitación que viene a ser lo más grave del asunto... Ahora que yo ahí no me meto porque ya de por sí estoy metido... y ahí estuvo, ¿verdad?

Pero eso sí: ¡lo que antes digo lo sostengo! Ora que, camaradas, compañeros, amigos míos... les suplico que me expliquen qué dije...

Por la causa del trabajo que me han dado, yo... verdad... Cantinflas... ¡Salud y provecho, camaradas![168]

Roger Bartra señala que el arquetipo cantinflesco "podría ser útil para definir el estilo político de los burócratas del gobierno (priista). Incluso es una metáfora excelente para describir la peculiar estructura de mediación de la dictadura unipartidista y el despotismo gubernamental".[169] Sin embargo, este discurso burocrático confuso no es un invento del PRI. En México, a lo largo del siglo XIX en calendarios y revistas se publican caricaturas y textos que se burlan de parlanchines verborreicos, oradores confusos y pensadores dislálicos:

¡Silencio que habla Diógenes Chupín!
Ya una hormilla le arranca al pantalón,
Y al chaleco un botón y otro botón,
Y los lazos desata al corbatín.[170]

En 1875 *El Ahuizote,* la genial revista satírico-política dirigida por Vicente Riva Palacio, publica un falso diario personal de Blas Balcárcel, ministro de Hacienda de Sebastián Lerdo de Tejada. En este texto el redactor se pitorrea del supuesto relajo mental del funcionario:

Sale de México el C. Sebastián Lerdo de Tejada, verdaderamente recomendable, porque como se va á estrenar una pila en Calpulalpan y es del Estado de Tlaxcala. Se puso el Señor Presidente para salir a tan peligroso viage, que siempre el día primero del año se le ocurre hacer paseos, como sucedió hora hace dos años. ¡Cuál iba la máquina que llevaban los estrangeros por los voladeros de Maltrata!: parecía un ángel que iba empinando un papalote de nubes; por eso dijo el Señor Presidente que el almuerzo de Boca del Monte había estado muy bueno [...]

> El señor Presidente pidió licencia para ir á estas fiestas porque la civilización (como decía el Sr. Lafragua) que lo que es el Sr. Lafragua ha padecido cual no otro de las reumas y se ha ido á bañar al Peñón...[171]

El discurso político embrollado es un viejo recurso de la picaresca del poder que en México tiene mucha tradición.

## *Cantinflas, el ser mexicano y el hombre del relajo*

La figura de Cantinflas y la cantinflada han sido comentadas por numerosos estudiosos del *ser mexicano* y *lo mexicano*. El personaje de Cantinflas llegó a ser tan popular que algunos autores han querido ver en él el arquetipo *del mexicano*, pero un estereotipo cómico nunca se aplica al grueso de la población, sino a la excepción, al que hace reír a la mayoría. Según el diccionario, *cantinflear* es hablar de forma disparatada e incongruente sin decir nada. Si el escritor francés Nicolás Boileau tuvo razón al afirmar: "Todo lo que se concibe bien se enuncia claramente", entonces el caos del discurso cantinflesco es un reflejo del desorden, del relajo mental del orador.

Cantinflas es un modelo del relajo. El filósofo Portilla incluso afirma que "la acción constitutiva del relajo puede ser una serie de meras actitudes 'cantinflescas', por así decirlo".[172] César Garizurieta dice que este "lenguaje artificioso" es "resultado de los aspectos de su incapacidad" y su "sentimiento de inferioridad".[173]

Pero la suspensión de la seriedad en el idioma de Cantinflas es con frecuencia una negación pura y simple de valores, sin salidas, sin movilidad, sin perspectivas al futuro, tal como lo plantea Portilla... pero no siempre. La cantinflada también le sirve al lépero para burlarse de la pedantería, la grandilocuencia y la solemnidad de las clases altas heredadas del porfiriato. El mensaje es: así como no entiendo tu hablar pedante, tú no entiendes mi lenguaje popular. No en vano su contraparte en el cine nacional bien puede ser don Antonio Soler, o en plan

*Caricatura de Cantinflas por Miguel Covarrubias.*

chusco, Joaquín Pardavé. El discurso de Cantinflas funciona de maravilla como el choteo del habla confusa de los políticos mexicanos posrevolucionarios de todo signo que hablan con fluidez y seguridad sin decir nada.

En su famoso ensayo titulado *La risa,* el filósofo francés Henri Bergson analiza los orígenes mecánicos de las situaciones cómicas y hace un claro distingo entre *lo ingenioso* y *lo cómico*. Podríamos decir, en términos generales, que lo ingenioso suele estar vinculado al manejo del lenguaje, es decir, que es lo propio del humorista, mientras que lo cómico está ligado a procedimientos mecánicos y sería lo propio del oficio del mimo o del *clown*. Los escritores satíricos, los *stand up comedians,* son fundamentalmente humoristas, mientras que los actores de cine mudo son, esencialmente, cómicos, y son pocos los actores que se desenvuelven a la vez como humoristas y cómicos —es el caso de Groucho Marx.

El gran hallazgo de Cantinflas fue usar el lenguaje de una manera *totalmente* mecánica, desproveyéndolo de *todo* sentido (los habladores clásicos de la picaresca española mantenían algún nexo con la lógica verbal, Cantinflas no). Al hacer esto, el cómico mexicano hace del discurso la herramienta básica del humorista, un elemento esencialmente cómico. Esto lo logró gracias a que le quitó al lenguaje todo su valor, todo su sentido, es decir, echando relajo con el lenguaje. Mientras Shakespeare diserta sobre el suicidio con su "ser o no ser", el mimo mexicano se pregunta "ser, o no hay que ser, mano, porque ésa es la cosa...".

## 2. El albur

Octavio Paz afirma que el albur es el lenguaje del relajo y no le falta razón.

En un viejo *sketch*, los cómicos Chaf y Queli reproducen un diálogo que, supuestamente, se lleva a cabo en una mercería:

—¡Ora, compadre!, qué dice el negocio de las telas.
—*Pos* que estoy cansado de meter telas y sacar telas.
—¡Las pelotas que se ha de hacer uno con tanto nombre de tela y colores, ¿verdad?
—Sí, hombre, tela de Java, tela en Brocco, si son nombres muy difíciles.
—Tela de Juir... Dentro de muy poco voy a necesitar unos lienzos para un regalo.
—Oye, está bonito tu saco. ¡Es cabeza de indio con pico atrás!
—El sastre que me lo hizo es re-malo. Le dije que me dejara más largo adelante y no me hizo caso.
—*Pos* si hasta los pliegues te dejó descosidos.
—*Pos* nomás los del cuello [...].

En otro *sketch*, Chaf y Queli se encuentran en un comedero:

—...Bueno, pues comenzaré a comer. Pásame dos teleras.
—¡Cómo no! Oye, ¿te molesto con el chile? Es que me agarra lejos.
—Siéntate, ahorita te lo paso, y me remuerde la conciencia no habértelo pasado antes.
—Te va a gustar mucho el chile, ¡ah! es mascabel.
—¡Voy! ¿Te gusta a ti eso?
—Me molesta que me hables cuando estoy moviendo el bigote.
—¡Uy! Y'*ora, pa'* quedar satisfechos, sólo faltan unos frijolianos, los acompletadores.
—*Pus* acomplétate mejor con un chile relleno.
—¡Uy! Tú luego luego a repelar.
—La coliflor está antojadiza.
—Pues dámela.
—¿De postre no quieres unos plátanos con crema?
—Me llama la atención que me digas eso, si bien sabes que estoy a dieta. Mejor dame un cafecito.
—El cafecito te lo voy a sacar, pero después no me eches la culpa de que no duermes...

Salvo por algunos localismos o giros folclóricos, estos diálogos le parecerán banales y hasta tontos a un español o un peruano, pero un mexicano barriobajero sabe que cada línea de estos parlamentos está cargada de imágenes obscenas, de connotaciones sexuales explícitas y tan vulgares que rayan en la pornografía ("estoy cansado de metértelas y sacártelas —dice uno— "las pelotas"—responde el otro). Estos diálogos de doble sentido —o albureros—, estos duelos de ingenio vulgar son muy comunes en la Ciudad de México y anexas, y hay ambientes en los que cualquier intercambio verbal puede derivar en un duelo de albures; de hecho, todo ciudadano debe mantenerse alerta, pues cualquier comentario o pregunta puede estar cargado de un obsceno doble sentido o ser una trampa para incautos:

> En la playa, me llevé a tu novia a pasear en lancha y a comer langosta.
>
> ¿Cuál es el color de la bandera de Chile? Pues el rosa celeste.
>
> Te voy a comprar un candelabro de patitas.
>
> ¿Cuál es la parte más peligrosa de la Ciudad de México? Pues Tepito de noche.
>
> ¿Te gusta el chile pasilla o prefieres un plátano enano?
>
> ¿Cuántas especies de chile hay en México? Unas setecientas.
>
> Los mejores desayunos son los de Nepal; hacen unos huevos deliciosos... Claro, eso es según los Lamas...

El albur es un juego de palabras de doble sentido y en el arsenal alburero son importantes las metáforas, las imágenes literarias, las homofonías, los sinónimos (los órganos sexuales del hombre y la mujer tienen decenas de sinónimos en este lenguaje) y demás artificios del lenguaje. Uno de los mecanismos humorísticos del albur es un juego de palabras difícil y sofisticado, el calambur, un juego de homofonías consiste en encontrar sílabas, palabras y frases que suenan igual, pero que, según la separación, la puntuación o la acentuación, producen equívocos y ambigüedades, dándole a la palabra o a la frase un significado diferente.

En principio, hacer un calambur no es fácil y encontrar un buen albur es bastante difícil, pero capas enteras de la población mexicana se han especializado en este tema al punto de que hay gente que puede sostener largos diálogos en idioma alburero. En su espectáculo, Chava Flores solía decir:

> [...] El otro día me pidieron que escribiera un diccionario de albures, y yo les dije: "¡pero si ya está escrito!". Cuando me preguntaron por el título, que les traigo el Diccionario de la Real Academia Española; y cuando me dijeron que ése no era, que les digo: "claro que éste es un diccionario de albures. Nomás dejen que yo se los lea".

Así como la belleza yace en los ojos del espectador, la obscenidad está en la mente del alburero; según Chava no había palabra del diccionario que pudiera escapar al doble sentido, y para probar su tesis cantaba *La tienda*, una canción suya en la que cada frase, casi cada palabra, tiene más de un sentido:

Tuve una tienda, en mi pueblo precioso lugar
Te vendía de un camote de Puebla hasta
un milagro a San Buto
Pitos, pistolas *pa'* niños te hacía yo comprar
*Pa'* tu cruda una panza, te inflaba una llanta al minuto
Aros, argollas, medallas podías tú adquirir
Un anillo, un taladro, petacas, tu cincho de cuero
Te enterraba en el panteón, te introducía en el cajón
Antes, con un zapapico, abría tu agujero
Me dabas para alquilar, alguien que fuera a llorar
Mientras lloraba, alumbraba con velas tu entierro

Leche, tu té, chocolate, tu avena o café
Te sacaba las muelas picadas, dejaba las buenas
[...]
De un embutido a un chorizo podías tú llevar
Longaniza de aquella que traen los inditos de fuera
Te acomodaba al llegar en mi hotel particular
Tres pesos más te sacaba por la regadera
Pero un buen día me perdí y hasta mi tienda vendí
Sólo salvé del traspaso la parte trasera.

El diálogo alburero suele ser menospreciado por su vulgaridad, por su contenido obsceno y sexista, pero el lenguaje vulgar es parte de la materia prima del humorista. En su libro *Anatomía de la sátira*, el ensayista inglés Gilbert Highet afirma: "La mayoría de los escritos satíricos utilizan palabras crueles y obscenas". Esto no es casual ya que la sátira es un arma ofensiva en todos los sentidos de la palabra: ataca y busca ofender, y como el medio del humor suele ser el lenguaje, la sátira necesita de las palabras e imágenes más violentas y agresivas, de las más prohibidas. Además, no todos los diálogos de doble sentido son vulgares o tienen una connotación sexual. En todos los terrenos al mexicano le gusta jugar con las palabras, encontrar dobles sentidos, usos múltiples a términos cotidianos. Es clásico este diálogo amoroso en idioma automovilístico:

—¿Cómo te válvulas?
—Bielas, ¿y a tuercas?
—*Pos* ahí nomás pasando aceite.
—¿Sabes que yo te amortiguador?
—Yo también, pero no tengo platinos.
—No importa, te saldré balata.
—¿Cigüeñal?
—¡Claxon!...

También es muy común este saludo en lenguaje carnicero: "¡Qué milanesas que te bisteces, yo criadillas que ya te habías morongas". O su variante carpintera: "¿On tablas que no te había vigas?, yo ya te creiba muebles". O su variante albañil: "¿Onde andamios que no te viguetas?, ya te hacía mortero".

Es muy posible que el albur haya florecido en México gracias a que en estas tierras hay un solo idioma decente, el castellano, y decenas de lenguas o dialectos menospreciados; así, es común que los que hablan en "lengua" se diviertan a expensas de los ciudadanos respetables que los menosprecian, discriminan o simplemente no los entienden. En tiempos de la Colonia era muy popular el baile de *El Chuchumbé*, un son lleno de albures que servía para hablar de sexo, para denunciar la hipocresía de los curas en los tiempos de la Santa Inquisición:

En la esquina está parado
Un fraile de la Merced,
Con los hábitos alzados
Enseñando el *Chuchumbé*.

Que te pongas bien,
Que te pongas mal,
El *Chuchumbé* te he de soplar.

Esta vieja santularia
Que va y viene a San Francisco:
Toma el padre, daca el padre
Y es el padre de sus hijos.

El demonio de la China
Del barrio de la Merced,
Y cómo se zarandeaba
Metiéndole el *Chuchumbé*.[174]

En realidad, "chuchumbé" significa ombligo en el idioma yoruba, que hablaban unos esclavos de Veracruz, pero en la canción esa palabra adquiere una connotación muy obscena.

Otras antiguas coplas jarochas dan fe de que el albur servía para hacer declaraciones de lascivia en tiempos donde imperaba el pudor:

Señora, por su animal
Anda el mío que se tropieza.
Anda el mío que se tropieza
Señora, por su animal.

Si se llegan a encontrar,
Qué ternura, qué belleza.
Gusto que se habrán de dar
De los pies a la cabeza.[175]

En la era porfiriana florecen revistas de humor picante —como *Frivolidades* y *La Risa,* entre otras— que publican cientos de dibujos al pie de los cuales se leen diálogos en los que, mediante albures, hombres y mujeres se dicen las cosas más obscenas, pero eso sí, sin usar nunca malas palabras. En un dibujo de *Frivolidades,* un joven sigue a una muchacha, el padre de la chica lo increpa:

El papá: —¿Por qué está usted siempre detrás de mi hija?
El novio: —Porque usted me obliga a ello. Mi mayor gusto es estar delante; pero como usted se opone...

Otra caricatura retrata a un señor que entra a una recámara donde está una muchacha en paños menores:

Ella: —Favor de retirarte. ¿No ves que me estoy haciendo la toilette?
Él: —Si quieres que yo te ayude...
Ella: —Muchas gracias; mejor me la hago yo sola.[176]

Prácticamente todos los albures que se publican en las revistas para hombres desde la época porfiriana hasta la década de 1930 (y más allá) mantienen una intención netamente heterosexual, y en fechas recientes muchas mujeres han empezado a usar este lenguaje (lo que le da un giro interesante a la cultura alburera nacional). Sin embargo, es indudable que en la mayoría de los diálogos albureros que se improvisan entre hombres —al

*Caricatura anónima publicada en* Frivolidades, *1910.*

menos desde mediados del siglo XX hasta hoy— predomina la temática machista, homofóbica y represiva; un falso juego de empoderamiento y sojuzgamiento, un pretendido intercambio de humillaciones que revela la homosexualidad latente del machismo. En *El laberinto de la soledad,* Paz anota:

> Es significativo, por otra parte, que el homosexualismo masculino sea considerado con cierta indulgencia, por lo que toca al agente activo. El pasivo, al contrario, es un ser degradado y abyecto. El juego de los "albures" —esto es, el combate verbal hecho de alusiones obscenas y de doble sentido, que tanto se practica en

la Ciudad de México— transparenta esta ambigua concepción. Cada uno de los interlocutores, a través de trampas verbales y de ingeniosas combinaciones lingüísticas, procura anonadar a su adversario; el vencido es el que no puede contestar, el que se traga las palabras de su enemigo. Y esas palabras están teñidas de alusiones sexualmente agresivas: el perdidoso (*sic*) es poseído, violado, por el otro. Sobre él caen las burlas y escarnios de los espectadores. Así pues, el homosexualismo masculino es tolerado, a condición de que se trate de una violación del agente pasivo. Como en el caso de las relaciones heterosexuales, lo importante es "no abrirse" y, simultáneamente, rajar, herir al contrario.[177]

Si el diálogo alburero insiste en la homosexualidad latente del macho es porque el albur sirve, sobre todo, para decir lo prohibido, lo inconfesable. Es clásica la historia que cuenta que Francisco de Quevedo apostó que le diría a la reina que era coja sin que ella se enterase; para ganar la apuesta, el poeta tomó un clavel y una rosa y se los ofreció a la reina, mientras decía:

Entre el clavel y la rosa
su majestad es-coja.

Como en la anécdota de Quevedo, el ideal del alburero es decir las cosas más ofensivas sin que el aludido se dé cuenta.

Los conservadores mexicanos son tan, pero tan morales que hasta tienen una doble moral y nada revela esto tan claramente como los juegos de doble lenguaje. Es casi seguro que el albur —el lenguaje fino del lépero, el refinamiento de la vulgaridad— sea producto del choteo de la doble moral conservadora; un ejercicio de relajo contra la hipocresía mocha. La idea que tienen los conservadores de que hay "buenas" y "malas" palabras implica que hay palabras que tienen una ética y una moral propias. Para los conservadores, las groserías son palabras impronunciables, vehículos del demonio; conllevan el mal. Sin embargo, el alburero fino puede decir las peores cosas sin que los niños —o lo que es lo mismo, la concurrencia conservadora— se den por enterados. Como en todos los argots, parte del gusto del idioma alburero es poder entablar una conversación que resulte clara a un interlocutor cercano y que excluya a los legos.

El pensamiento freudiano, que reivindica la importancia de los impulsos sexuales del hombre, florece en la época victoriana, cuando la sexualidad es más reprimida que nunca. Asimismo, a lo largo de nuestra historia los grupos conservadores vinculados a la iglesia han intentado, por diferentes medios, controlar el lenguaje prohibiendo canciones, poemas y malas palabras, y lo único que han logrado es el surgimiento de nuevas formas de vulgaridad. Así, la historia del albur en México corre paralela a la de la censura.

En la Colonia, la Santa Inquisición prohíbe algunas canciones populares como *El Chuchumbé*; durante el porfiriato la censura adquiere un tinte clasista y se centra en las familias de bien ("¿Qué dirán los Limantour?"). El *Manual de Carreño* prohíbe explícitamente usar ciertas palabras y tocar temas considerados impropios. Entonces, en las postrimerías del porfiriato, los *lagartijos* leen revistas pícaras y van al teatro de revista a disfrutar el lenguaje del *double entendre*, tan de moda en la Francia de *la Belle Époque*. Así, sin groserías, sin violar el *Manual de Carreño*, mediante metáforas, retruécanos, chistes de doble sentido y albures, la sociedad trata los temas prohibidos.

Todavía a fines del siglo XX y principios del XXI algunos políticos panistas (un alcalde de Guadalajara primero y un gobernador queretano después) propusieron a sus congresos locales sendas leyes para sancionar con multas a quien dijera groserías en público. Todo intento por controlar el lenguaje es un intento por reprimir las ideas, los deseos, los malos pensamientos, la sátira. Esta lógica censora tiene mucho de pensamiento mágico, pues presupone que las palabras tienen virtudes morales en sí y que prohibir las malas palabras equivale a controlar pensamientos perversos.

Sin embargo, los pensamientos perversos siempre encuentran cómo salir a flote. Así, el buen alburero sabe decir cosas vulgares sin proferir una sola grosería. Lo inverso también es posible: se puede hablar de las cosas más serias y respetables con puras groserías. En un cartel que invita a afiliarse al Partido Mexicano de los Trabajadores, Rius hace esta síntesis de la historia de México:

> Hace un chingo de años, los indios éramos bien chingones... ¡Cuauhtémoc era el gran chingón! Pero llegaron un chingo de gachupines y los muy hijos de la chingada hicieron mil chingaderas y chingaron a los indios... ¡Y nos llevó a todos la chingada![178]

La cantinflada y el albur son dos idiomas que trastocan, que subvierten el sentido de las palabras: la cantinflada es una construcción fantasiosa y sin sentido. Usa la verborrea para no decir nada. El albur sirve para darle salida a los pensamientos más prohibidos. Sirven, esencialmente para suspender toda seriedad, para echar relajo, y esto es, básicamente, un acto liberador.

## El relajo del relajo

El relajo en sí no tiene un peso ético específico. En manos de los pícaros corruptos es el ambiente ideal para la cultura del saqueo y la violencia; a su vez, sirve como un arma de defensa ante la mojigatería sexual, el cinismo de los políticos pícaros, los discursos hipócritas y la pedantería clasista.

El relajo en el albur y en la cantinflada no es necesariamente la negación pura y simple de valores, sin salidas, sin movilidad, sin perspectivas al futuro, sino la crítica a un sistema de valores y la invitación popular a la reflexión divertida. Estos discursos obran en contra de una jerarquía social, ética o moral que con frecuencia resulta opresiva. En este contexto, al igual que en el caso de la picaresca, el relajo y las formas humorísticas que florecen en él pueden tener un carácter liberador.

# La cultura mexicana del humor

## Un humor sádico y cruel

Si, como dijo John Lennon, es cierto que la gente que más sufre es la que tiene mejor sentido del humor, entonces México debería ser una potencia humorística mundial, pues el sufrimiento es una constante de la vida cotidiana del país a lo largo de los siglos.

Algunas de las constantes históricas de la sociedad nacional son: un tejido de cacicazgos crueles y autoritarios cuyas raíces se remontan al universo prehispánico; una cultura de corrupción y saqueo que viene desde la Colonia y se prolonga en el FMI; un clasismo racista que tiene sus raíces en la sociedad colonial de castas; desigualdades sociales brutales; un universo de explotación y miseria, y una cultura machista que tiene profundas raíces en la tradición indígena, la árabe y la judeocristiana. A esto hay que agregarle un aparato de justicia esencialmente injusto y que tortura; una crisis económica que parece endémica; una derecha hipócrita y atrasada; una iglesia dogmática con devaneos fascistoides; una izquierda electoral oportunista, corrompible y acomodaticia; una izquierda radical sectaria y atrasada; una élite financiera cruel, voraz y hasta criminal; setenta y cinco años de PRI; cinco sexenios de políticas neoliberales antipopulares; dos presidentes panistas corruptos e hipócritas; una tradición ininterrumpida de fraudes electorales y un Estado cada vez más delincuencial. Ante todo esto, cabe preguntarse: ¿de qué se ríen los mexicanos?

Sigmund Freud plantea que a través del humor se expresan los miedos, las angustias, los prejuicios, los anhelos más profundos de los individuos y su sociedad, y Jorge Portilla afirma que "la burla o la risa [pueden] servir de clave para comprender rasgos esenciales de la condición humana o para penetrar en la estructura espiritual de un pueblo".[179] Si estas tesis son ciertas, entonces los ciudadanos de México —como los de todos los pueblos— ríen de lo que más temen y anhelan. En el caso de la sociedad mexicana tenemos que:

- Ante el drama de todos los días y las tragedias frecuentes, miles de mexicanos cultivan el humor negro de manera cotidiana al punto que han creado formas específicas de este género: los chistes de nota roja, el humor de *Alarma!* y el humor de hecatombe o *juar boiled*. Del mismo modo, diversos escritores, actores y caricaturistas nacionales han creado tipos y arquetipos cómicos a partir de personajes tan siniestros como el torturador y el narco. Dado que el narcotráfico ha adquirido en los últimos años una importancia creciente en la economía y la sociedad mexicanas, esta forma de humor está lejos de extinguirse.
- Ante la omnipresencia de la muerte, desde los tiempos prehispánicos en estas tierras se han desarrollado ritos y festejos funerarios que desdramatizan la muerte. A su vez, estos ritos dieron lugar a una cultura funeraria que cultiva una visión juguetona de la muerte. Los festejos del Día de Muertos se han popularizado y generalizado al punto de que la calaca se ha convertido en un ícono nacional, en un signo de identidad colectiva; cada año miles de mexicanos cultivan el género gráfico y literario de las calaveras; del mismo modo, de manera colectiva se ha construido el universo de las calaveras vivientes, uno de los modelos más perfectos del arquetipo humorístico del mundo al revés.
- En el marco de una cultura patriarcal dominante que tiene como paradigma el modelo del *varón probado*, el macho absoluto, en casi todos los estamentos de la

sociedad mexicana se cultiva un humorismo arbitrario, sádico, cruel y autoritario que raya en lo criminal y el rito sacrificial. Detrás de estas manifestaciones arbitrarias de humor que a veces lindan en lo criminal, está una idea del deber ser, un ideal a seguir, según el cual el hombre debe ser un dios imperfecto y caprichoso que tiene derechos sobre la vida y la muerte, y el miedo a ser excluido del universo de los hombres, a no ser nadie, a sufrir el maltrato y el escarnio del dios.

- Del mismo modo, en el marco de la cultura machista y siguiendo modelos culturales y literarios que están muy ligados a la cultura y la literatura españolas, en México se cultiva, desde hace siglos, la burla sexista y ofensiva; como reacción a esta cultura opresiva, e inspirada en sus modelos, también se cultiva la burla ofensiva antimachista.
- En México, el paradigma machista del varón verdadero, del hombre todopoderoso fue, durante siglos, un modelo de comportamiento hegemónico a pesar de que en la práctica resulta contradictorio y paradójico. El machismo mexicano está en el origen de varios tipos y arquetipos cómicos y humorísticos como el macho chillón, el supermacho, el macho calado y las viejas cabronas.
- La cultura del relajo encaja perfectamente bien dentro de las lógicas de la cultura machista que fomenta la arbitrariedad individualista. Siguiendo la tradición hispánica del alboroto, en México se cultivan el relajo, el choteo, la picardía y la picaresca. El relajo funciona como un mecanismo de protección y supervivencia ante la pobreza y el subdesarrollo, ante la rigidez de un Estado cruel, autoritario y solemne que no protege a sus ciudadanos, ante la cerrazón del dogma religioso que esconde una profunda hipocresía y ante las pretensiones de una élite clasista, limitada y rascuache.

Siguiendo la tradición de la picaresca española, la picaresca mexicana ha dado lugar al nacimiento de varios tipos y arquetipos cómicos que están inspirados en la figura del lépero marginal, del pelado (el teporocho, Cantinflas, el pachuco, por sólo mencionar algunos). Muchos de estos personajes, a pesar de ser profundamente locales —o tal vez por ello— han llegado a tener un carácter universal.

El relajo no es una forma humorística en sí, pero está en el origen de toda una legión de tipos cómicos pícaros, leperunos y relajientos, y de dos lenguajes humorísticos: la cantinflada y el albur.

- A la sombra de un Estado vertical, clasista, racista y antidemocrático se cultiva toda una picaresca de la corrupción y como una reacción ante ésta, la sátira política de compromiso.

En *El laberinto de la soledad,* Octavio Paz, al hablar de las expresiones fuertes señala que "mientras los españoles se complacen en la blasfemia y la escatología, nosotros [los mexicanos] nos especializamos en la crueldad y el sadismo".[180] Del mismo modo, el humor que se cultiva en México también se especializa en la crueldad y el sadismo: es negro, siniestro y descarnado.

La cultura mexicana del humor tiene raíces que se remontan a las antiguas culturas mesoamericanas y está muy vinculada a la cultura humorística española y a la literatura satírica castellana. Es muy posible que el universo precortesiano recoja una visión muy particular de la muerte, de la crueldad sacrificial y de la cultura patriarcal; de la tradición hispánica vienen la cultura de la burla machista, del relajo y la picaresca. Otras culturas y tradiciones humorísticas también han dejado su huella en México: el periodismo satírico británico y francés siguen pesando en la prensa nacional.

En todos los casos, la cultura del humor local ha asimilado estas influencias hasta producir manifestaciones humorísticas propias (la blasfemia típica del humor español encuentra un equivalente en México en ese humor sacrificial sádico y la escatología en lo sanguinario). Esta cultura del humor tiene personalidad propia y una riqueza notable.

## El machismo en el centro

Los rasgos de la cultura de humor mexicano que hemos revisado están ligados entre sí y conforman un universo que se retroalimenta constantemente: el humor negro, el universo de las calaveras vivientes y la cultura del relajo son productos de una sociedad autoritaria y cruel cuyo eje principal es la estructura patriarcal machista. El machismo tolera, fomenta, prohíja y celebra un humor sádico, arbitrario, cruel y hasta necrófilo que tiene mucho de ritual sacrificial. El humor negro que se practica en México es descarnado, terrible y desorbitado; es, a la vez, expresión y mecanismo de defensa ante este sadismo machista. El universo de las calaveras es fiel representación de una sociedad que a todos sacrifica. Refleja hasta qué punto el inframundo, el infierno, está entre nosotros. El relajo es, en principio, una expresión de la cruel arbitrariedad de la autoridad machista, pero también funciona como un mecanismo de defensa, como parapeto y protección ante esa misma arbitrariedad.

El que el humor nacional esté tan vinculado a la cultura machista revela, entre otras cosas, que vastos sectores de la sociedad mexicana han mantenido y mantienen una relación difícil, conflictiva o enfermiza con el paradigma del macho dominante, el cual, en la gran mayoría de las familias está encarnado en la figura del padre. Las estadísticas refuerzan esta hipótesis. Una información del Consejo Nacional de Población (Conapo) asienta que en México, en 2003, de los más de 24.2 millones de mujeres con hijos vivos, la quinta parte, es decir, casi 4.5 millones eran madres solas (entre ellas, 880 mil madres solteras).[181]

Esta situación obedece en gran medida a la cultura machista que permite que el hombre tenga segundos frentes, abandone a la mujer embarazada o simplemente se desentienda de su paternidad. La paradoja central de este proceso es que México es un país a la vez machista y de padres ausentes. Cuando está presente, el padre transmite directamente los valores machistas dominantes, pero también los transmite cuando está ausente; asimismo, ayudan a esta transmisión de valores otros parientes masculinos (el abuelo, un tío, un hermano mayor); pero con frecuencia es la propia madre quien transmite estos cánones.

Además, este universo machista contradictorio y conflictivo es fuente de humor no sólo por la importancia que ha tenido esta cultura patriarcal arbitraria y autoritaria en nuestra sociedad y por la paradoja del macho a la vez omnipresente y ausente, sino también porque está lleno de absurdos y contradicciones, porque, al final de cuentas, sus modelos y aspiraciones son risibles, y porque hoy en día son motivo de fuertes y certeros cuestionamientos por parte de los movimientos feministas.

El paradigma del macho que se impone sobre todos es un imposible. Es muy difícil ser muy macho en todo momento y, con frecuencia, los que se sienten más hombres terminan siendo los más despreciables. Un viejo coronel del ejército mexicano contaba que él venía de un pueblo tan, pero tan fregado que allí sólo había "putas, putos... y uno que otro militar". El macho se burla de todos pero, con frecuencia, es mucho más ridículo que los objetos de su burla. Al final de cuentas, *Hombre-Man,* el hombre-hombre, es un superhéroe de chiste, en cambio *Los Supermachos* y *Los Agachados* son una parodia precisa de personajes reales y reflejan prácticas comunes de la sociedad mexicana; una gran cantidad de machos viven permanentemente sobajados como *El Santos;* el hijo humillado de Cruz Treviño es un personaje cotidiano; existen muchas hembras y homosexuales que resultan más bravos y valientes que los machos, y la homosexualidad latente del macho probado es inocultable. Las presiones del deber ser machista son grandes y sus contradicciones ineludibles, por eso, con frecuencia el macho busca evadirse mediante la pachanga y el alcohol.

En la práctica, la única forma de vencer el paradigma machista es no tomarlo en serio, salirse de él, aceptar que uno está rajado, que no se es un varón probado. Esto lo saben muy bien los que no tienen nada, ni dignidad, es decir, los pelados. Según un viejo *sketch,* un señor se siente insultado por un lépero y lo reta a un duelo a muerte en Chapultepec a las cinco de la mañana. A las ocho llega un padrino de duelo del vago con este mensaje: "Dice mi cuate que en lo que se refiere al duelo, que lo dé por muerto... y que su último deseo es que usted se vaya a chingar a su madre".

Según un viejo cuento popular:

> Un charro entra a una cantina y se dirige al cantinero:
> —Yo, tequila; tú, tequila; todos tequila.
> El cantinero agradece y sirve los tragos.
> El charro se toma su copa de un trago y repite:
> —Yo, tequila; tú, tequila; todos tequila.
> El cantinero vuelve a servir. La escena se repite cinco veces. Al cabo de un rato, el cantinero le presenta la cuenta al charro que, ya muy briago, la tira al suelo y se rehúsa a pagar aduciendo que no tiene dinero. El cantinero enfurece y le pone una golpiza de hospital. Al cabo de una semana, el charro, convaleciente, regresa a la cantina y se dirige al cantinero:
> —Yo, tequila, todos tequila. Tú no porque cuando tomas te pones bien necio.

Pero lo más curioso de este mecanismo es que alimenta un círculo vicioso, pues romper las reglas del canon machista equivale a echar relajo, y el relajo es parte de la conducta y las tradiciones humorísticas del macho. Del mismo modo que el mero macho impone sus reglas para echar relajo, los que son menos hombres que él, es decir, las mujeres y los homosexuales, se liberan del universo castrante del machismo por medio del relajo, y así logran que, en medio de la sociedad machista, prevalezca —así sea por breves instantes— el principio del placer.

La cultura humorística nacional se renueva constantemente y ha sufrido modificaciones importantes en las últimas décadas. La crisis del modelo machista —el que el machismo haya dejado de ser motivo de orgullo nacional, al menos en ciertos sectores— cambia muchas cosas y anticipa cambios importantes en la cultura del humor que se practica en México. Sin embargo, la crueldad del modelo económico neoliberal imperante garantiza la permanencia de los rasgos más crueles del humor nacional.

¿Por qué se ríen los mexicanos?

Se ríen porque no les queda de otra.

# Notas

## Algunas generalidades necesarias sobre el humor

[1] Relatado por el propio Carlos Pellicer a su sobrino Carlos Pellicer López.
[2] Nicolás León, *El Negrito Poeta y sus populares versos,* Culiacán, Sinaloa, 1961, vol. VII, s/p.
[3] François Rabelais, *Gargantua. Aux lecteurs,* Paris, Gibert Jeune, Librairie des amateurs, 1938, s/p.
[4] François Villon, *Poésies complètes,* Le livre de poche 1964, s/p. (T. del A.).
[5] Sigmund Freud, *El humor,* Obras completas, Madrid, Editorial Biblioteca Nueva, 1973, vol. III, p. 2997.
[6] Rubén Darío, *Bendigamos la risa,* en *Rubén Darío. Obras completas,* Julio Ortega y Nicanor Vélez, editores. Prólogo de José Emilio Pacheco, Galaxia Gutenberg, 2007, *Tomo I Poesía,* s/p.
[7] Octavio Paz, *Magia de la risa,* México, SepSetentas, 1971, p. 12.
[8] Ver al respecto Jonathan Pollock, *¿Qué es el humor?,* Buenos Aires, Ed. Paidós Diagonales, 2003.
[9] Ver el texto atribuido a Aristóteles, *El hombre de genio y la melancolía,* Barcelona, Editorial Sirmio, 1996.
[10] Roger Bartra, *La jaula de la melancolía. Identidad y metamorfosis del mexicano,* México, Editorial Debolsillo, 2006, p. 53.
[11] Juan de Dios Peza, "Reír llorando", en *El Parnaso Mexicano,* México, UNAM/Conaculta/Instituto Mora/IMC, 2006, p. 39.

[12] Jorge Portilla, *Fenomenología del relajo,* México, FCE, 1992, p. 74.
[13] Al respecto ver Graciela Cándano, *La seriedad y la risa. La comicidad en la literatura ejemplar de la Baja Edad Media,* México, UNAM, 2000, y Mijaíl Bajtín, *La cultura popular en la Edad Media y el Renacimiento*, Barcelona, 1974.
[14] Immanuel Kant, *Critique de la faculté de juger*, s/p.
[15] Sigmund Freud, *op. cit.*, pp. 2997-3000.
[16] *Ibídem*
[17] Anónimo popular.
[18] Rubén Darío, *op. cit.*
[19] Recopilado por Francisco Márquez, *Frases célebres,* Edimat Libros, p. 28.
[20] *Ibídem*, p. 193.
[21] *Ibid.*, p. 338.
[22] Charles Baudelaire, *Lo cómico y la caricatura,* Madrid, Visor, 1988, p. 21.
[23] León Trotski, *Historia de la Revolución Rusa*, París, Senil, 1950, tomo II, p. 12. (T. del A.)
[24] *Proverbia eclesiastés, Eccleciasticus, Ephesios Iacobi* de la *Biblia Vulgata,* capítulo VII, inciso 3. Diversas ediciones. Se puede consultar en línea en *www.adorador.com.*
[25] Rabelais, *op. cit.*
[26] Recopilado por Francisco Márquez, *op.cit.*, p. 193.
[27] André Breton, *Antología del humor negro.* Jorge Portilla, *Fenomenología del relajo.*
[28] Octavio Paz, *La magia de la risa, El laberinto de la soledad.*
[29] Samuel Ramos en *El perfil del hombre y la cultura en México*; Paz en *El laberinto de la soledad*; Carlos Monsiváis en *Salvador Novo. Lo marginal en el centro* y *Crónica de aspectos, aspersiones, cambios, arquetipos y estereotipos de la masculinidad,* entre otros.
[30] Portilla, *op. cit.*
[31] Bartra en *La jaula de la melancolía.* Yáñez en su ensayo sobre Lizardi.
[32] Ver los respectivos postemios (*sic*) de estos autores en la edición 71 de *Picardía mexicana* de A. Jiménez.

[33] Paz, Portilla, obras citadas, y César Garizurieta en *Catarsis del mexicano*, 1949.
[34] Monsiváis, *op. cit.*
[35] Ver al respecto Samuel Schmidt, *Humor en serio. Análisis del chiste político en México,* México, Aguilar, Nuevo Siglo, 1996, y *En la mira. El chiste político en México,* México, Taurus, 2007. También ver Rafael Barajas, *Historia de un país en caricatura,* México, CONACULTA, 2000; *El país de El Ahuizote*, México, FCE, 2004, y *El país de El Llorón de Icamole,* México, FCE, 2006. En los siguientes capítulos daremos referencias bibliográficas más precisas de los textos de los autores aquí mencionados.
[36] Roger Bartra, *op, cit.*

## Capítulo uno

[37] Jorge Portilla, *op. cit.*, p. 75.
[38] André Breton, *Antología del humor negro*, Prólogo, Paris, Livre de Poche, s/p.
[39] *Ibídem*, p. X.
[40] Miguel Donoso Pareja, *Picaresca de la nota roja,* México, Editorial Samo, 1973, p. 18.
[41] Citado por Robert Mighall en *The triumph of Wilde,* UK, Penguin Books, 2000, s/p.
[42] No existe documento que certifique la veracidad de esta frase, pero el poeta Juan de Dios Peza se la atribuye a Tomás Treviño de Sobremonte, quien fue procesado y quemado en la plaza pública por la Inquisición en el siglo XVII. Juan de Dios Peza, "El Cacahuatal de San Pablo", en *Leyendas históricas, tradicionales y fantásticas de las calles de la Ciudad de México,* México, Editorial Porrúa, 1992, p. 64.
[43] El poeta Hugo Gutiérrez Vega recoge estos versos que fueron reproducidos por Pedro Miguel en *Teléfono descompuesto* en el blog *Navegaciones* del 19 de septiembre de 2008.
[44] Recopilados en Eduardo Matos Moctezuma, *El negrito poeta mexicano y el dominicano. Realidad o fantasía,* México, Editorial Porrúa, Col. Sepancuántos, núm. 344, s/p.

[45] *Ibídem*
[46] *Ibid.*
[47] Firmado por El Conde de la Pandereta, en *El Monarca,* San Luis Potosí, 18 de octubre de 1863, tomo I, p. 1.
[48] Citado por Carlos Monsiváis en *Las herencias ocultas de la reforma liberal del siglo XIX,* México, Editorial Grijalbo, Col. Debate, 2006, p. 207.
[49] Guillermo Prieto, *Fidel,* "Letrilla", en *El Monarca,* San Luis Potosí, 13 de septiembre de 1863, núm. 8, pp. 2-3.
[50] Jorge Ibargüengoitia, "Autopsias rápidas", *Vuelta,* 1988, p. 72.
[51] Leopoldo Zincúnegui, *Anecdotario prohibido de la Revolución,* México, edición del autor, 1936, p. VIII.
[52] *Ibídem,* p. 52.
[53] Versos de Liborio Crespo citados por Miguel Ángel Gallo, en *La sátira política mexicana,* México, Ed. Quinto Sol, 1987, p. 190.
[54] Anónimo popular (¿Salvador Chávez?). *Valona de La Renca.* Hay una versión de esta pieza en el disco de Los Gavilanes de Palapo titulado *Despedida no les doy,* coedición del Estado de Michoacán, pista 16.
[55] Anónimo popular.
[56] Alfonso Reyes, "Un 'porfiriano': el maestro Sánchez Mármol", en *Obras completas de Alfonso Reyes,* México, Fondo de Cultura Económica, Letras mexicanas, 1995, vol. IV, p. 180.
[57] Anónimo popular.
[58] Rockdrigo González, *El asalto chido,* canción.
[59] Tradición oral. Recopilado por María del Carmen Garza de Koniecki. *El corrido de Rosita Alvírez, su estructura narrativa,* Colegio de México, AIH, Actas X, 1989, s/p.
[60] *El crimen del expreso,* canción de Salvador *Chava* Flores, 1952. Reproducida en el disco *Salvador Rivera es Chava Flores y este disco es su antología,* Discos EMI, México, 2001, CD 1, pista 7.
[61] Miguel Donoso Pareja, *op. cit.*, p. 127.
[62] Todos estos encabezados fueron recopilados por el autor entre sus amigos y no son necesariamente textuales. Creemos que esto no invalida, sino refuerza, la tesis de que se trata de un género humorístico popular.

[63] Letra y música de Sergio Arau y Armando Vega-Gil.
[64] Miguel N. Lira, *Corridos de Domingo Arenas,* México, Editorial Fábula, 1935, pp. 51-55.
[65] Pedro Miguel, "Poemásomenos. El Corrido de las carnes frías", publicado en *Másomenos*, suplemento de historietas de *Unomásuno*, *ca*. 1980, s/p.
[66] Recopiladas por Cuauhtémoc Cárdenas Batel.
[67] Anónimo popular.
[68] Citado por Miguel Ángel Gallo, *op. cit*., p. 20.
[69] "Las obras de misericordia de los gachupines y de los criollos malos de la década pasada", Pablo de Villavicencio, El Payo de Rosario, en *The political pamphlets of Pablo de Villavicencio "El Payo de Rosario"*. Recopilado por J. C. Mc Kegney, Amsterdam, Rodopi, 1975, vol. I, pp. 165-169.
[70] Rogelio Valver, *El agricultor*, canción interpretada por Los Pumas del Norte.
[71] Ángel González, *Contrabando y traición,* canción interpretada por Los Tigres del Norte.
[72] Miguel Donoso Pareja, *op. cit*., p. 19.

## Capítulo dos

[73] Anónimo (Manuel Horta?), "Cuento de día de muertos", en *Fantoche*, tomo IV, núm. 44, p. 10.
[74] François Villon, *Le Lais*, (T. del A.).
[75] Citado por Miguel Ángel Morales en *Cómicos de México.*
[76] Anónimo (Manuel Horta?), "Cuento de día de muertos", en *Fantoche*, tomo IV, núm. 44, p. 10.
[77] Octavio Paz, *El laberinto de la soledad*, México, FCE, 2004, p. 63.
[78] Salvador *Chava* Flores, *Cerró sus ojitos Cleto,* canción recopilada en Mario Kuri-Aldana y Vicente Mendoza Martínez, *Cancionero popular mexicano*, Conaculta/Lecturas Mexicanas, México, 2001, tomo II, pp. 116-117.

[79] Anónimo. Recopilado en José Roberto Sánchez Fernández, *Bailes y sones deshonestos en la Nueva España,* Veracruz, IVEC, 1988, p. 37.
[80] Fray Joaquín Bolaños, *La portentosa vida de la muerte,* México, UNAM, 1994, p. 144.
[81] Mercurio López Casillas, *La muerte en el impreso mexicano,* México, Editorial RM, 2008, p. 21.
[82] Guillermo Prieto, "Día de muertos", en Boris Rosen (compilador), *Guillermo Prieto, Obras completas, Poesía patriótica, poesía popular,* México, Conaculta, 1994, tomo XIII, pp. 298-299.
[83] Anónimo (Riva Palacio), *La Orquesta*, época III, tomo II, núm. 133, México, 3 de noviembre de 1869, pp. 1-2.
[84] Ireneo Paz (atribuido), en *La Patria Ilustrada*, noviembre de 1891.
[85] Nota anónima, "A nuestros lectores. La calavera de *El Fandango*", en *El Fandango,* tomo I, núm. 92, 29 de octubre de 1893, p. 1.
[86] Anónimo. "Atención valecitos", en *El Fandango,* tomo I, núm. 93, 2 de noviembre de 1893, p. 4.
[87] Anónimo, "Hilachos y ropa vieja", en *El Fandango,* tomo I, núm. 93, 2 de noviembre de 1893, p. 1.
[88] Anónimo, en *El Fandango,* tomo I, núm. 93, 2 de noviembre de 1893, p. 4.
[89] Anónimo, *Han salido por fin las calaveras de solteros, viudas, casadas y doncellas.* Hoja volante de la Imprenta de Antonio Vanegas Arroyo, s/f.
[90] Anónimo, *Gran Baile de Calaveras.* Hoja volante de la Imprenta de Antonio Vanegas Arroyo, México, 1906, p. 2.
[91] André Breton, *op. cit.*
[92] Anónimo (Manuel Horta?), *Fantoche,* tomo IV, núm. 44, 1 de noviembre de 1929, p. 11.
[93] Anónimo, revista *Karicato,* vol. II, núm. 21, noviembre 3 de 1933, p. 7.
[94] En *Calacas de la cargada,* TGP, México, noviembre de 1951.
[95] Michel Melot, *L'oeil qui rit. Le pouvoir comique des images,* Friburgo, Suiza, Office du Livre, 1975, p. 156.

[96] Canuto Godines, "Vivos y muertos", publicado en *El Fandango*, tomo II, núm. 197, 8 de noviembre de 1894, p. 3.

## Capítulo tres

[97] Carlos Monsiváis, "Crónica de aspectos, aspersiones, cambios, arquetipos y estereotipos de la masculinidad", Revista *Desacatos,* núm. 16, diciembre de 2004, p. 91.
[98] *Ídem.*
[99] Octavio Paz, *El laberinto...*, *op. cit.*, pp. 89-90.
[100] Renato Leduc, *Historia de lo inmediato,* México, Lecturas Mexicanas, FCE-SEP, 1976, p. 23.
[101] Guillermo Rubio, *Pasito Tun Tun,* México, Tiempo Extra Editores, 2006, pp. 15-17.
[102] Octavio Paz, *La magia de la risa*, México, SepSetentas, 1971.
[103] Recopilado por Miguel Donoso Pareja, *op. cit.*, pp. 105-107.
[104] Max Aub, *Crímenes ejemplares,* España, Espasa, 1999.
[105] Citado por Enrique González Pedrero en *País de un solo hombre: el México de Santa Anna, La ronda de los contrarios,* México, FCE, 1993, vol. I (epígrafe) s/p.
[106] Recopilado por Daniel Moreno en "Humorismo mexicano", *Artes de México*, México, núm. 147, 1971, p. 33.
[107] Ireneo Paz, "Cincuenta y un pescozón de Fray Pujido al Señor del Talón de Acero, de la Leva y de las Prisiones Arbitrarias", en *El Padre Cobos,* época III, tomo IV, núm. 51, 25 de junio de 1876, p.1.
[108] Anónimo, "El Presidente llorón", en *La Casera,* tomo I, núm. 4, 22 de junio de 1879.
[109] Pedro Serrano, "El General", *Silueta del excelentísimo señor don Vicente Riva Palacio con varias anotaciones*, 1934, p. 66.
[110] Eduardo del Río *Rius*, *Los Supermachos,* México, Editorial Meridiano, tomo I, núm. 1, México, 1967, p. 1.
[111] Anécdota oral sobre Tablada.
[112] Octavio Paz, *El laberinto..., op. cit.*

[113] Juan Reséndiz, *El hijo de su*, en Mario Kuri-Aldana y Vicente Mendoza Martínez, *Cancionero popular*, México, Conaculta/ Lecturas Mexicanas, 2001, p. 122.
[114] Ricardo Heredia Álvarez, *Anécdotas presidenciales de México*, México, Editorial Época, 1974, s/p.
[115] Margo Glantz , *Sor Juana Inés de la Cruz, Obra selecta*, Biblioteca Ayacucho, 1994, p. 154.
[116] Salvador Novo, *El libro cabrón*. Este libro es difícil de hallar, pero se puede consultar en línea en buscasitiosweb.com.ar
[117] Miguel Arroyo Fernández, "El humor y los estudios de género", en *Ventana*, núm. 7, 1998, p. 347.
[118] Cuates Castilla, *La vieja chismosa*. Canción recopilada por Kuri-Aldana y Mendoza, *op. cit.*, pp. 102-103.
[119] Anónimo. Recopilado en *Las décadas del Chango García Cabral*, México, Editorial Domés, 1979, p. 22.
120 Francisco de Quevedo y Villegas, "A uno que se mudaba cada día por guardar a su mujer", en *Francisco de Quevedo y Villegas. Obras completas*, Madrid, Aguilar, 1943, p. 120.
[121] Novo, *op. cit.*
[122] Francisco de Quevedo, *op. cit.*, p. 88.
[123] Margo Glantz, *op. cit.*, p. 543.
[124] *Ibídem*, p. 106.
[125] Juan Bautista Morales, *El Gallo Pitagórico*, México, Imprenta de Cumplido, 1845, p. 58.
[126] *El herradero*, canción interpretada por Lucha Reyes en *Flor Silvestre*.
[127] *Corrido de La entalladita*, letra de Saúl Viera.
[128] Carlos Monsiváis, *Crónica de aspectos,...*, *op. cit.*, p. 97.
[129] Francisco de Quevedo, "A un bujarrón", *op. cit.*, p. 90.
[130] Carlos Monsiváis, *Los iguales, los semejantes, los (hasta hace un minuto) perfectos desconocidos (A cien años de la redada de los 41)*, folleto, México, Impretel, 2001, s/p.
[131] Anónimo. Hoja suelta de Vanegas Arroyo ilustrada por Posada, México, 1901.
[132] Verso anónimo, en *La Guacamaya*, tomo V, época II, núm. 41, 25 de julio de 1907, p. 1.
[133] Carlos Monsiváis, *Los iguales, ...*, *op. cit.*

[134] Salvador Novo, *op. cit.*
[135] *Ibídem*
[136] *Ibid.*
[137] *Ibid.*
[138] Carlos Monsiváis, *Salvador Novo. Lo marginal en el centro,* México, ERA, 2000, pp. 40-41.
[139] *Ibídem*
[140] Miguel Arroyo Fernández, *op. cit.*, pp. 9, 12.
[141] Diálogo entre Tin-Tan y su *carnal* Marcelo reproducido en el disco *Germán Valdés*, Tin-Tan. *Mi antología.* Discos Capitol, México, 2002.
[142] Agustín Jiménez, *Picardía mexicana*, México, Editores Mexicanos Unidos, 1982, p. 124.

## Capítulo cuatro

[143] Renato Leduc, *Prometeo sifilítico,* texto fotocopiado, s/p.
[144] Canción tradicional, versión de Óscar Chávez.
[145] Pedro Grases, "La idea del 'alboroto' en castellano", en *Escritos selectos de Pedro Grases,* Biblioteca virtual Miguel de Cervantes, s/p.
[146] Jorge Portilla muere en 1963 a los 45 años de edad, sin terminar este escrito. Son sus colegas Víctor Flores Olea, Alejandro Rossi y Luis Villoro quienes recopilan, le dan forma y editan algunos ensayos de Portilla bajo el título *Fenomenología del relajo.* Este libro es publicado por el Fondo de Cultura Económica en 1966.
[147] Jorge Portilla, *Fenomenología del relajo*, México, FCE, 1966, p. 13.
[148] *Ibídem*
[149] *Ibid.*, p. 18.
[150] *Ibid.*, p. 25.
[151] *Ibid.*, p. 86.
[152] *Ibid.*, p. 15.

[153] Diálogo entre Tin-Tan y su *carnal* Marcelo, reproducido en el disco *Germán Valdés Tin-Tan. Mi antología.* Discos Capitol, México, 2002.
[154] Agustín Yáñez, *Estudio preliminar sobre J.J. Fernández de Lizardi*, s/p.
[155] Guillermo Prieto, "Romance. Contesta de valedores", en *Obras completas, Romances*, compilación y notas de Boris Rosen Jélomer, México, Conaculta, 1995, tomo XV, pp. 202-203.
[156] Miguel Ángel Gallo, *op. cit.*, p. 23.
[157] *Ibídem*
[158] *Ibid.*, p. 60.
[159] Francisco González Bocanegra. Versión original del Himno Nacional. Partitura.
[160] Guillermo Prieto, *Viajes de orden suprema*, México, Editorial Patria, 1970, pp. 240-241.
[161] Firma El Cronista de los Reyes (Aguilar y Marocho), "Jueves Santo", publicado en *El Estandarte Nacional.* Citado por Teodoro Torres en "Humorismo y sátira" (discurso pronunciado en la Academia Mexicana de la Lengua el 24 de septiembre de 1941), México, Editora Mexicana, 1943, pp. 157-171.
[162] Vicente Riva Palacio, "Adiós mamá Carlota", en José Emilio Pacheco, *Poesía mexicana*, México, Promexa, 1985, vol. I, p. 110. (Versión recogida por Eduardo Ruiz, secretario de Riva Palacio.)
[163] Abel Quezada, "Pollos, SA", en *Cartones de Abel Quezada*, México, Teamoyola, 1958, p.11.
[164] Primero de los famosos *Cinco sonetos burlescos* que hizo la poetisa con consonantes forzadas, "Inés, cuando te riñen por bellaca...", *Sor Juana Inés de la Cruz, Poesías selectas*, Ermilo Abreu Gómez (ed.), México, Botas, 2ª ed. revisada y corregida, 1970, s/p.
[165] Video reproducido en el CD que acompaña al libro *ABCDF*.
[166] Jesusa Rodríguez. Transcripción de un monólogo teatral.
[167] *Sketch* de Medel citado por Miguel Ángel Morales, *Cómicos de México,* México, Panorama Editorial, 1987, p. 140.

[168] Cantinflas, *La polémica del siglo:* Cantinflas *contra Morones*, entrevista a Cantinflas en la revista *Todo*, 12 de agosto de 1937.
[169] Roger Bartra, *La jaula de..., op. cit.*
[170] *Ibídem*, p. 64.
[171] Riva Palacio (atr.), "Tonterías. Diario de D. Blas", *El Ahuizote*, tomo II, núm. 1, 1 de enero de 1875, p. 3.
[172] Jorge Portilla, *op. cit.*, p. 27.
[173] César Garizurieta, "Catarsis del mexicano", en *El hijo pródigo*, núm. 40. p. 172.
[174] José Roberto Sánchez Fernández, *Bailes y sones deshonestos en la Nueva España*, Veracruz, México, Ediciones del IVEC, 1998, pp. 33-34.
[175] Versos cantados por el grupo Sacamandú.
[176] Todos estos dibujos están publicados en *Frivolidades*, año I, núm. 34, agosto 21 de 1910.
[177] Octavio Paz, *El laberinto..., op. cit.*, p. 43.
[178] Rius, cartel promocional del PMT.

## La cultura mexicana del humor

[179] Jorge Portilla, *op. cit.*, p. 13.
[180] Octavio Paz, *El laberinto..., op. cit.*, p. 86.
[181] Nota publicada en el diario *La Jornada* el 3 de marzo de 2003.

# Índice

capítulo dos
**El país de las calaveras vivientes**



capítulo tres
**¡A ver si de veras son tan machos!**



capítulo cuatro
**¡Qué relajo de país!**